Stéphane Rostin-Magnin

Les Aventures
de Ludo Scarlatine
et Marie Mandibule

Éditions de la Paix

SODEC
Québec ⠿

Gouvernement du Québec

Programme de crédit d'impôt pour l'édition de livres

Gestion SODEC

Le Conseil des Arts
du Canada   The Canada Council
for the Arts

Nous remercions le Conseil des Arts du Canada de l'aide
accordée à notre programme de publication.

Nous reconnaissons l'aide financière du gouvernement

du Canada par l'entremise du Programme d'aide au

développement de l'industrie de l'édition (PADIÉ)

Stéphane Rostin-Magnin

Les Aventures
de Ludo Scarlatine
et Marie Mandibule

Collection Dès 9 ans, n° 57

Illustrations Jean-Guy Bégin

Éditions de la Paix

pour la beauté des mots et des différences

© 2007 Éditions de la Paix

Dépôt légal 2e trimestre 2007
Bibliothèque nationale du Québec
Bibliothèque nationale du Canada

Imprimé au Canada

Illustration   Jean-Guy Bégin
Infographie   Kerry Summers
Graphisme   Éclypse Images
Révision   Jacques Archambault

Éditions de la Paix
127, rue Lussier
Saint-Alphonse-de-Granby
Québec   J0E 2A0
Téléphone et télécopieur 450 375-4765
Courriel info@editpaix.qc.ca
Site WEB http://www.editpaix.qc.ca

Catalogage avant publication de Bibliothèque et Archives Canada

Rostin-Magnin, Stéphane

Les aventures de Ludo Scarlatine et Marie Mandibule

(Collection Dès 9 ans ; 57)

Comprend un index.

ISBN 978-2-89599-048-2

I. Bégin, Jean-Guy. II. Titre.

III. Collection: Dès 9 ans ; 57.

PS8635.O731A93 2007   jC843'.6   C2007-940264-X

PS9635.O731A93 2007

Ce livre est dédié
à Jean-Claude et Marie-Hélène,
à Emmanuelle,
à Mélissa,
et à Loric, surtout...

Ce livre a été imprimé sur du papier 100 % recyclé sur les presses de l'Imprimerie Gauvin, Gatineau, Québec.

0

Le grand lampion se couche sur le village de Châtaigne-Plage, dans les Terres du Sud. Une douce lumière orangée caresse les maisons et le vent berce les arbres du parc des Églantiers Mauves.

Malheureusement, contrairement aux apparences, c'est une triste soirée ! Marie Mandibule vient dire adieu à son meilleur ami.

Ludo Scarlatine est déjà là, vêtu de son éternelle chemise noire et de sa cravate aussi rouge que ses cheveux en bataille. Il a beaucoup hésité à venir, car il se doute bien de ce que son amie est venue lui annoncer. Cela fait quelque temps qu'elle répète qu'elle n'est plus une enfant, que le temps de l'amusement est terminé.

La voilà justement qui arrive auprès de lui. Ce soir, elle porte sa jolie robe blanche, celle qui laisse dépasser ses ailes. Marie Mandibule est une fille libellule... Comme chacun le sait, ces créatures ne peuvent pas voler. Elles ont cependant conservé, de leur passé d'insecte, de magnifiques ailes qui filtrent les rayons du grand lampion et les transforment en explosions de couleurs.

— Voilà, le temps est venu, dit-elle timidement.

— Alors c'est décidé? Tu t'en vas, répond Ludo.

— Je dois suivre mon destin. Je ne puis point rester ici à rêver. Il faut grandir !

— Par la rhubarbe du grand sorbier ! Et notre pacte, qu'en fais-tu ?

— De grâce, mon bon Ludo ! Ne me dis point que tu crois encore au sanctuaire des baleines et à toutes ces sornettes...

Par un drôle de hasard, un vol d'orques épaulards traverse le ciel de Châtaigne-Plage, juste à ce moment-là.

Oui, ici, les baleines volent ! C'est une des nombreuses particularités du Pays des Cinq Vents.

Ludo Scarlatine, Marie Mandibule, mais également un écureuil livreur de pizza, qui n'a rien à voir avec cette histoire, suivent du regard ces étranges animaux.

Ils flottent majestueusement dans les airs, en faisant onduler leurs larges nageoires et en remuant leur queue. Leur dos est noir et luisant tandis que leur ventre et le contour de leurs yeux sont d'un blanc éclatant.

Marie rompt le silence de cet instant magique.

— Hum ! Je t'ai apporté un présent, dit-elle en sortant une amulette de sa poche.

C'est un magnifique bijou, qui semble être fait de la même matière que ses ailes.

— Garde-le, pour te souvenir de moi.

— Je n'en ai pas besoin, répond Ludo. Chaque fois que je regarderai les baleines, je penserai à toi. Tu n'as qu'à faire la même chose. Nom d'un coquelicot déglingué !

Le jeune garçon se retourne et s'en va, en essayant de retenir ses larmes...

PREMIÈRE PARTIE
LUDO SCARLATINE

Bien des années
plus tard...

1

— Très bien, dit Ludo Scarlatine, je crois que j'ai assez d'informations pour écrire mon article. Et veuillez encore m'excuser d'être arrivé en retard. Je suis débordé depuis que mon assistant s'est fait manger par une grenouille !

Monsieur Carrington, l'éleveur de pintades équilibristes, prend un air étonné.

— Nom d'un tournesol mal informé ! Vous n'en avez pas entendu parler ? poursuit Ludo. Il s'appelait Gary Bizbizz. C'était une petite mouche à crotte très efficace et très professionnelle. Ça s'est passé un mardi, nous faisions un article sur la Grosse Régina, la plus énorme de toutes les grenouilles du Comté de l'Est. Une grande artiste ! Je vous la présenterai un jour... J'avais dit à Gary de ne pas venir, que ce n'était pas prudent. Vous savez ce que c'est, les grenouilles, les mouches...

Il n'a même pas eu le temps de sortir son carnet. Elle n'en a fait qu'une bouchée ! Sainte Pivoine, c'était horrible... mais je ne veux pas vous importuner avec ça. Merci et bonne journée.

Ludo Scarlatine monte sur sa mobylette et décampe. Monsieur Carrington reste bouche bée. Ce journaliste, qui était en principe venu l'interviewer, n'a fait que parler !

— Encore un original, se dit-il en regardant le nuage de poussière que soulève la mobylette dans le grand lampion couchant.

Chers lecteurs, je me permets ici d'interrompre le déroulement du récit afin de vous souhaiter la bienvenue dans ce livre. Je me présente : je suis l'auteur !

Oh, je sais ! Cela ne se fait pas d'arrêter ainsi une histoire, juste pour faire la conversation, mais vous m'avez l'air tellement sympathiques ! Surtout vous, qui lisez ce livre-ci... Permettez-moi de vous dire que vous avez fait un excellent choix.

Hum ! Bref...

Notre jeune journaliste rentre chez lui après une journée de travail fort excitante, à rencontrer toutes sortes de personnages délurés. Chaque jour, Ludo signe la chronique *Bizarre et insolite*, une rubrique qui lui va comme un gant, dans *La Feuille de Chou* de Poireauville, le journal local.

La cravate au vent, il chevauche sa superbe mobylette et contemple les rues de la ville, perdu dans ses pensées.

Nous sommes dans le Comté de l'Est, la terre des bâtisseurs orgueilleux. Ici, chacun construit toujours dans le but d'ériger quelque chose de plus haut que ce qu'a fait son voisin. Les tours de Poireauville sont une succession d'étages ajoutés les uns sur les autres. Ce sont donc des bâtisses biscornues et instables.

Poireauville est le genre d'endroit qui ne plaît pas aux gens qui aiment que tout soit droit et bien rangé. C'est donc la ville idéale pour Ludo Scarlatine. De plus, les humains, les animaux et même les fruits et les légumes y vivent en harmonie, ce qui est loin d'être le cas partout au Pays des Cinq Vents.

Ce soir cependant, Ludo n'a pas la tête à penser à tout cela. Il est très préoccupé. Depuis quelque temps, il entend parler de baleines qui s'échouent un peu partout dans le pays, à des endroits bien étranges et très éloignés de leur route habituelle de migration.

Ludo n'a jamais cessé de s'intéresser à ces animaux fascinants. Dès que le printemps arrive, il guette leur passage et les regarde toujours s'éloigner vers le nord, avec un brin de nostalgie.

Enfant, il aimait qu'on lui raconte la légende du sanctuaire. Celle selon laquelle les baleines migrent toujours vers un seul et unique lieu sacré, pour y mettre au monde leurs petits ou pour mourir. Il s'était même mis dans la tête de trouver ce fameux sanctuaire, quand il serait grand.

D'ailleurs, Ludo aimerait bien faire un grand reportage sur les baleines, sur les Terres du Nord, etc. Malheureusement, monsieur Champignon, le rédacteur en chef, le cantonne à sa rubrique. Ce gros cèpe à la chair pâle et au chapeau brun est décidément un peu austère.

Ah oui, je ne vous l'ai pas dit, Champignon, c'est son nom, mais c'est aussi ce qu'il est. Dans d'autres cultures, il serait délicieux avec de l'huile d'olive et des herbes de Provence, mais ici, il dirige un journal. C'est une autre des nombreuses particularités du Pays des Cinq Vents.

Ludo Scarlatine arrive donc chez lui. Il habite un petit placard, sur le toit des bureaux du journal. Ce n'est pas un logement très grand, mais c'est tout ce qu'il peut se permettre.

Après avoir fini de taper à la machine son article sur la troupe de pintades équilibristes, qui seront bientôt en tour- née près de chez vous, il décide d'aller se coucher. Il met une chemise noire propre, une nouvelle cravate, rouge comme toujours, et se glisse dans son lit.

Ludo commence à peine à s'en- dormir quand un sifflement strident le réveille en sursaut. Le bruit ne dure qu'une fraction de seconde. Dans un réflexe de survie, le jeune homme se jette sous son bureau. Le petit placard est alors pulvérisé par quelque chose qui vient de s'y écraser. Le lit est catapulté dans les airs et retombe lourdement. Il éclate en mille morceaux, puis c'est le silence.

Une longue traînée vient de se dessiner sur le toit de l'immeuble et un grand nuage de poussière a envahi l'espace.

Ludo sort lentement de sous le bureau et constate les dégâts. Il ne reste plus que de petits débris, éparpillés un peu partout. Les touches de sa machine à écrire tombent lentement du ciel. C'est comme une pluie d'alphabet. Ludo fait quelques pas le long de la longue marque noire, qui va de l'ancien emplacement du placard, jusqu'au rebord de l'immeuble. Au bout de cette marque, le jeune journaliste croit bien distinguer dans l'obscurité une petite silhouette grise étendue et inerte. Ludo s'approche, c'est un extraterrestre d'environ un mètre vingt, vêtu d'un habit blanc qui, à première vue, doit être sa combinaison spatiale.

Ce qui étonne le plus Ludo, n'est pas tellement le fait qu'un extraterrestre se soit écrasé sur sa maison. Au Pays des Cinq Vents, les êtres de l'espace rendent couramment visite aux humains. Certains sont même très bien intégrés dans la société. Non ! Ce qui est le plus surprenant, c'est qu'il n'y ait autour du petit être aucuns débris de vaisseau spatial ou d'une quelconque machine volante.

Cet extraterrestre serait-il tombé du ciel ?

Ludo contemple son drôle de visiteur. Son visage est lisse, filiforme et il a de grands yeux, qui naturellement sont fermés. La texture de sa peau gris foncé ressemble un peu à celle d'un dauphin.

En l'examinant de plus près, Ludo constate que, malgré la violence de l'impact, l'extraterrestre n'a aucune égratignure. C'est fascinant !

Sur sa combinaison blanche sont imprimés en lettres sobres les mots Barnabuk/Gordon. Ce doit être son nom.

— Nom d'un bégonia secouriste ! Monsieur Gordon, monsieur Gordon, vous m'entendez ?

L'extraterrestre ne répond pas. Il est inconscient, mais ses yeux semblent s'agiter derrière ses paupières, comme quelqu'un qui fait un mauvais rêve.

Ludo Scarlatine scrute encore une fois les alentours. Il n'en revient pas. Comment ce petit extraterrestre a-t-il pu réussir à traverser le plafond du placard, avec assez de force pour le pulvériser, sans qu'aucuns débris de vaisseau spatial se retrouve autour de la scène ?

C'est alors que l'extraterrestre se met à parler :

— Ludo Scarlatine, murmure-t-il, le sanctuaire sera bientôt englouti, tu es notre dernière chance.

Le jeune journaliste est stupéfait ! Il ne sait pas s'il doit être effrayé ou fasciné par cet être tombé du ciel qui, tout à coup, ne semble pas avoir atterri ici par hasard.

— Ludo Scarlatine, les baleines sont les premières victimes, ajoute l'extraterrestre, avant de retomber dans une inquiétante torpeur, ce qui signifie qu'il ne bouge plus du tout.

Est-il mort ? En tout cas, il a cessé de respirer.

Ludo sait alors ce qu'il lui reste à faire. Il pose sa main droite sur le cœur de l'extraterrestre et sa main gauche sur son front. Une étrange énergie commence à se dégager de l'une pour aller vers l'autre, en créant une douce et chaude lueur. La lumière forme un cercle qui relie le corps de Ludo à celui de Barnabuk Gordon. Elle s'intensifie, jusqu'à être éblouissante.

Le jeune garçon pousse alors un soupir sec et l'extraterrestre se redresse d'un coup, en reprenant son souffle, comme quelqu'un qui sort la tête de l'eau. Ludo décolle ses mains et le phénomène lumineux cesse.

L'extraterrestre regarde le jeune homme avec étonnement.

— Où suis-je ? demande-t-il

— À Poireauville, dans le Comté de l'Est.

— Qui suis-je ?

— Eh bien, dit Ludo un peu surpris de la question, il semble que vous vous appeliez Barnabuk Gordon.

— Vous êtes sûr ? Ce nom est un peu ridicule, vous ne trouvez pas ?

— Par l'illustre cerisier ! Il n'est pas plus ridicule que le mien. Je m'appelle Ludo Scarlatine, dit le jeune homme en articulant bien et en espérant que l'extraterrestre réagira en l'entendant.

— Pourquoi me parlez-vous comme si j'étais stupide, demande Barnabuk, qui se lève comme si de rien n'était.

— Vous avez prononcé mon nom, pendant que vous étiez inconscient.

— Vraiment ? Mais je ne vous connais pas !

— Vous avez aussi parlé du sanctuaire, vous avez dit que les baleines étaient en danger.

— Attendez un peu, répond l'extraterrestre, les baleines, ça me dit quelque chose... Non ! Désolé ! Où avez-vous dit que nous étions déjà ?

— À Poireauville, répond Ludo. Ça ne vous dit rien ?

— Si, bien sûr, Poireauville, ville moyenne du Pays des Cinq Vents. Troisième du Comté de l'Est en termes de population, après Carottetown et Saint-Céleri.

— Oui c'est bien ça. Et vous, d'où venez-vous ?

— Je n'en ai aucune idée, dit Barnabuk qui constate les dégâts autour de lui. Ai-je détruit votre maison ?

— Oh, ce n'est pas grave.

— Je suis infiniment désolé, monsieur Rubéole.

— Scarlatine !

— Oui, c'est ça. Puis-je vous offrir un verre de jus pour me faire pardonner ?

L'extraterrestre tâte alors ses poches et ajoute :

— Oh, il semble que je n'aie que mon amitié pour vous remercier, monsieur Scarlatine.

— Appelez-moi Ludo ! Allez venez, c'est moi qui vous invite.

Les deux nouveaux amis descendent de la tour du journal. Ils marchent ensuite dans la grand-rue, en direction du Poireau Guilleret, un café que Ludo aime bien.

Le jeune journaliste observe en silence son visiteur, qui marche d'un pas léger. Comment est-il possible qu'il se soit remis aussi vite d'un choc aussi violent ? Il est vrai que, hormis le fait qu'il semble avoir perdu la mémoire, l'extraterrestre se comporte comme si rien ne lui était arrivé.

Très vite, l'enseigne du Poireau Guilleret apparaît au détour d'une ruelle. C'est une grande affiche clignotante, qui nous rappelle que l'établissement est ouvert toute la nuit.

Ludo Scarlatine et Barnabuk Gordon entrent dans le café. Il n'y a aucun client excepté un pauvre cornichon rabougri, qui ferait mieux de rentrer chez lui. C'est un endroit un peu bizarre. Les murs sont sales et le papier peint est démodé. Plusieurs affiches de chanteurs et d'artistes ornent les murs. Elles datent de l'époque où il y avait encore des représentations ici. Malheureusement, depuis que la nigauvision a été inventée, plus personne ne sort pour aller voir des spectacles.

Dans un coin du café, un canari automate poussiéreux attend qu'on vienne lui glisser une pièce de monnaie pour qu'il interprète une chanson.

La jeune serveuse, qui est une belle plante, une marguerite pour être précis, fait un signe de la main à Ludo.

— Asseyez-vous où vous voulez, dit-elle.

— Ce sera deux jus de jujubes, s'il vous plaît, Mademoiselle Pétale.

Elle leur apporte rapidement deux grands verres de ce liquide rose et sucré. Ludo la remercie de la tête.

— J'ai une drôle de sensation, monsieur Scarlatine, dit Barnabuk. J'ai l'impression de connaître votre monde. Tous ces artistes sur les murs, leur visage m'est familier, mais tout est flou dans mon esprit.

— Vous êtes peut-être déjà venu chez nous.

— C'est possible, répond l'extra-terrestre, mais dites-moi, monsieur Scarlatine, puis-je vous poser une question saugrenue ?

— Yucca obèse ! Mais bien sûr ! Vous savez, je suis journaliste. Je suis habitué aux questions bizarres. Sauf que d'habitude, c'est moi qui les pose…

— Eh bien, je me demandais s'il était normal que la serveuse soit une fleur et que le client accoudé au bar soit un légume.

— Oui, c'est tout à fait naturel puisque nous sommes dans l'Est. Moi-même, je suis le fils d'un humain et d'une rose. Ne me dites pas que vous n'avez pas remarqué mes cheveux !

La crinière rouge de Ludo est en effet très soyeuse. Si on y regarde de plus près, on se rend compte que ses cheveux sont faits de la même matière que les pétales d'une fleur.

— Je les tiens de ma mère, dit-il. Heureusement, ils ne fanent jamais.

— Vous êtes né ici ?

— Non, je viens des Terres du Sud. Là-bas, par contre, les unions entre les hommes et les plantes sont très mal vues. C'est le pays des cultivateurs. Pour ces gens-là, les roses sont faites pour être coupées, pas pour en tomber amoureux.

— C'est pour cela que vous avez quitté votre région natale.

— Pas uniquement…

Barnabuk voit bien que Ludo ne veut pas en dire plus. Il n'insiste pas.

— Parlez-moi de ce pays, monsieur Scarlatine, poursuit l'extraterrestre. Peut- être qu'en l'évoquant, vous me rappellerez des souvenirs.

— J'ai une idée, lui répond Ludo, venez avec moi.

Il se lève et se dirige vers le canari-automate. Il introduit une pièce et appuie sur un bouton. La machine s'anime.

— Je vais laisser Jacques Bretelle, notre plus grand poète, vous décrire notre monde. Personne ne peut le faire mieux que lui.

La musique commence, ce qui attire l'attention de mademoiselle Pétale.

— Ludo, baisse un peu le volume, dit-elle. Je te rappelle que cette chanson est interdite.

Le jeune journaliste s'exécute, puis tend l'oreille à l'oiseau mécanique qui commence à chanter. Barnabuk imite son nouvel ami et écoute attentivement.

C'est une chanson mélancolique dont voici les paroles :

Avec les Terres du Nord, où s'en vont les baleines

Et leur désert de glace, qui vous givre les veines.

Avec les chercheurs d'or et le peuple du Nord,

C'est une terre gelée, qui accepte son sort.

Avec son vent puissant, c'est l'endroit le plus grand

De mon si beau pays... Le Pays des Cinq Vents.

Avec ses tours bizarres, qui défient les nuages

Et ces gens insolites qui peuplent les parages.

Avec infiniment de musique dans le cœur

Et immanquablement, l'espoir des jours meilleurs

C'est le Comté de l'Est, où sous le vent malin,

Vivent en harmonie légumes et humains.

Avec les Plaines de l'ouest, où poussent les usines.

Où les gens sont sérieux et aiment la routine.

Avec un ciel qui n'est jamais tout à fait bleu

Dans lequel se succèdent, les matins ennuyeux.

Avec son vent malade, c'est l'endroit l'moins marrant

De mon si riche pays... Le Pays des Cinq Vents.

Avec une terre qui craque sous le lampion d'été

Et de pauvres cigales pour la réanimer.

Avec leur sol brûlé et leur campagne blonde,

Voici les Terres du Sud, qui nourrissent le monde

Avec ces gens modestes, qui cultivent la terre

Grâce à ce vent léger, qui calme la misère

Avec son cœur brisé, par l'atroce cité

Avec cette cloche de verre, bâtie pour étouffer,

Les espoirs des gens et le cinquième des vents.

Avec la liberté, qui disparaît douce-ment,

La sombre impératrice aux projets inquiétants

Tuera un jour, c'est sûr, le Pays des Cinq Vents.

La mélodie se termine sur cette phrase pessimiste.

— C'est une belle chanson, dit Barnabuk, mais je n'ai pas compris la fin. Qu'est-ce que c'est que cette cité ?

— Triste quenouille ! Il parle de la Cité de Verre, la capitale, répond Ludo. C'est là que vit une horrible femme qu'on appelle l'impératrice. Elle règne sur le pays et elle est si puissante, qu'elle a fait bâtir une grosse cloche de verre au-dessus de sa ville. Par mes pétales, c'est cela qui a tué le cinquième vent.

— Donc, on devrait peut-être main-tenant dire le Pays des Quatre Vents ?

— Sainte Anémone ! J'espère que l'impératrice n'ira pas jusqu'à changer le nom de notre monde, répond Ludo. D'ailleurs, il y a certaines personnes qui disent que le cinquième vent reviendra un jour.

— Mais pourquoi a-t-elle bâti cette cloche de verre ?

— Pour se protéger des gens ordinaires ! Elle décide de tout ce que le peuple doit aimer, penser ou acheter. Si on n'est pas d'accord, on peut crier tant que l'on veut. Elle n'entend rien. La cloche la protège.

— Donc c'est une dictature, si je comprends bien.

— Tout à fait, mon ami, mais vous ne savez pas le pire. Cette cloche de verre ne sert à rien, parce que de toute façon, personne ne proteste. Cactus mal rasé ! Tout le monde est collé à la nigauvision et continue de croire que tout va bien.

— Vous savez, cette impératrice évoque quelque chose chez moi, mais je ne sais pas quoi.

— Si vous la connaissez, cela veut sûrement dire que vous n'êtes pas un étranger. Vous êtes certainement un extraterrestre établi chez nous. C'est assez courant vous savez.

— Oui, peut-être, dit Barnabuk songeur.

— Mais dites-moi, demande Ludo, la chanson n'a rien évoqué d'autre ?

— Pourquoi ? Elle aurait dû ?

— Le premier couplet, où il est question du désert de glace et des baleines. Ça ne vous dit rien ?

— Non ! Euh, attendez un instant. Il me vient l'image de quelqu'un qui survole une grande banquise. Mais pourquoi cette question ?

Les yeux de Ludo s'illuminent.

— Par le néflier timide, vous allez penser que tout cela est très bizarre, mais je crois que vous êtes venu pour me prévenir de quelque chose, de quelque chose qui me concerne.

— Mais je ne vous connaissais pas il y a une heure !

— Peut-être que vous l'avez oublié. Si nous retrouvons ce que vous savez, nous allons découvrir non seulement qui

vous êtes, mais aussi, peut-être, le danger qui guette les baleines.

— Que voulez-vous dire ?

— Que votre passé est au bout d'une
route, que je rêve d'emprunter depuis
longtemps.

2

Ah ça alors ! Ludo et Barnabuk n'ont pas perdu de temps. Je me suis absenté à peine quelques minutes, pour aller chercher un verre de lait, et voilà qu'ils sont déjà en route !

Je dois vous avouer que, connaissant Ludo, cela n'a rien d'étonnant. Il fait partie des gens qui font les choses sans réfléchir et se demandent, ensuite, si tout cela est bien raisonnable.

La mobylette file dans la nuit en direction de la ville de Nifelbald, le dernier poste avancé du Comté de l'Est avant le grand désert blanc. Ce n'est, en pratique, qu'un village modeste où se regroupent les chercheurs d'or avant de partir en expédition. Cependant, sa position stratégique en fait un passage obligé pour quiconque veut s'aventurer dans les Terres du Nord.

La nuit n'est pas chaude et l'influence du désert de glace se fait de plus en plus sentir à mesure que nos amis progressent dans sa direction. Ludo et Barnabuk ont l'impression d'être frigorifiés, car ils ne savent pas encore ce que veulent vraiment dire les mots, « avoir froid ». Gageons qu'ils le sauront bien assez tôt...

Tout en grelottant, Ludo commence à imaginer qu'il n'aurait peut-être pas fallu partir aussi précipitamment. C'est la deuxième phase de ses raisonnements, se dire, finalement, qu'il aurait dû y penser avant !

Il attendait de faire ce voyage depuis si longtemps, il aurait pu prendre quelques heures pour se préparer. Une chose est déjà sûre, la mobylette n'ira pas plus loin que Nifelbald. Il serait bien difficile de rouler avec elle sur la glace. Il leur faudra aussi se procurer des vêtements chauds pour affronter le désert blanc. C'est à cause de ce genre de détails que le village de Nifelbald est devenu incontournable.

Vous vous demandez peut-être à quoi pense Barnabuk en ce moment. Eh bien, sachez qu'il ne pense à rien. Il est bien trop occupé à avoir mal au derrière et à se cramponner à cet engin de malheur.

Chacun à sa manière, nos deux héros sont en train de concevoir que ce voyage ne sera pas de tout repos. Cependant, même s'ils ne le savent pas, Ludo et Barnabuk ont rudement bien fait de partir aussi vite. Certaines personnes sont en effet déjà à leurs trousses et ce n'est pas pour leur proposer de l'aide. À l'heure qu'il est, plusieurs sont peut-être déjà à Poireauville.

Heureusement, nos deux amis ont déjà fait un bon bout de chemin.

La route du nord est paisible et les premières lueurs du grand lampion commencent déjà à leur piquer les yeux.

Sur le bord de la route, ils aperçoivent la petite cabane d'une marchande de bonbons. Comme c'est l'heure du petit-déjeuner, ils décident de s'arrêter.

Si vous trouvez particulier de manger des sucreries aussi tôt le matin, rappelez-vous qu'ici, dans l'Est, les humains, les animaux, les insectes, les fruits et les légumes vivent en harmonie. Il n'est donc pas question de se manger les uns les autres. Donc, si on ne mange ni viande ni légumes, de quoi peut-on se nourrir ? Mais de bonbons, bien entendu ! En fait, au Pays des Cinq Vents, la plupart des gens civilisés sont bonbonovores. Ah, comme j'aimerais qu'il en soit ainsi dans notre monde !... C'est vrai, chaque fois que vous mangerez un brocoli, pensez-y, il a peut-être une famille.

Ludo et Barnabuk s'arrêtent donc chez cette marchande de bonbons. C'est un petit commerce fort modeste, dont l'enseigne lumineuse clignote en faisant un drôle de bruit. Nos deux amis entrent et commandent. L'extraterrestre, qui est un peu barbouillé, se contente d'un soda chaud. Ludo, lui, demande une grosse barbe à papa, une glace à la vanille et bien sûr un grand bol de bonbons acidulés qu'il arrose de sirop de menthe. Même pour le

Pays des Cinq Vents, c'est un repas excentrique. D'habitude, les gens se contentent d'une barre de chocolat tartinée de guimauve.

— Bien déjeuner, c'est important, nom d'un géranium affamé ! clame Ludo, tandis qu'il s'assoit avec son acolyte à la table de pique-nique qui se trouve devant le magasin.

Ce dernier boit son soda le plus lentement possible, afin de repousser au maximum le moment où il faudra remonter sur cette horrible mobylette.

Une grosse limace vient se frotter contre ses jambes en ronronnant. Il vient alors à l'esprit de Barnabuk, une idée qu'on pourrait qualifier de cruelle, mais vous en jugerez par vous-même dans quelques instants.

— Dites-moi, Barnabuk, demande Ludo, si vous pouviez avoir la réponse à n'importe quel secret de l'univers, lequel choisiriez-vous ?

— J'imagine que je demanderais qui je suis et d'où je viens.

— Oui, c'est certain, mais si vous n'étiez pas amnésique ?

— Eh bien, je dois dire que je n'en ai aucune idée. D'ailleurs cela ne me dérange pas de ne pas tout savoir. Et vous, que demanderiez-vous ?

— Par mes pétales ! Je crois que je voudrais savoir pourquoi il faut grandir et pourquoi en grandissant les gens deviennent sérieux et ne croient plus en rien, répond Ludo le regard plein de mélancolie.

— C'est une question bien philoso-phique, répond Barnabuk en caressant sa limace avec un petit air sadique, mais je doute que nous puissions jamais le savoir.

— Tout dépend de là où nous mènera cette aventure. Voyez-vous, la légende veut que le sanctuaire abrite un livre très ancien appelé le *Sopholite d'Alba*. C'est un ouvrage dans lequel sont réper-toriés tous les secrets de ce monde. Alors si le sanctuaire existe, peut-être que le Sopholite aussi.

— C'est étrange, ce terme de Sopholite d'Alba ne m'est pas inconnu, mais je ne saurais dire comment j'en ai entendu parler.

— Arbousier studieux ! Mon cher ami, chaque fois qu'un pan de mémoire vous revient, vous accroissez le mystère. Allons, reprenons la route ! Il me tarde déjà de me lancer à la recherche de votre passé.

Reprenons la route, voilà la phrase que Barnabuk redoutait.

— Laissez-moi juste une minute, dit-il la limace à la main, et sans vouloir abuser, auriez-vous dix sous à me prêter ?

Ludo fouille dans sa poche et lui donne de la monnaie tout en faisant de ridicules exercices d'étirement. Barnabuk, quant à lui, retourne dans le magasin et en ressort presque aussitôt avec trois gros rouleaux de réglisse noire. Il pose la limace sur le porte-bagages de la moby-lette, puis il la ligote en un clin d'œil, avec une impressionnante dextérité.

Le pauvre gastéropode — c'est le nom qu'on donne à la famille des limaces — se retrouve ficelé comme un saucisson gluant, incapable de bouger.

— Bien, nous pouvons y aller, dit fièrement l'extraterrestre à Ludo qui ne fait plus des étirements, mais la danse du ventre. C'est très courant pour lui.

— Très bien, répond le jeune journaliste, j'en ai profité pour me réchauffer.

Barnabuk s'assoit sur la pauvre limace qui lui fait désormais office de coussin. Si elle avait su qu'elle passerait les prochaines heures sous les fesses d'un extraterrestre amnésique, la pauvre bête y aurait sûrement pensé à deux fois, avant d'aller lui demander des caresses.

Ludo démarre la mobylette et ils repartent comme si tout ceci était parfaitement naturel. Le jeune journaliste se faisant néanmoins la réflexion qu'il était dommage de gaspiller ainsi de la réglisse, en s'en servant de ficelle.

C'est un drôle de monde que ce Pays des Cinq Vents, dans lequel on ne mange pas les légumes pour ne pas leur faire de mal, mais où se servir d'une limace comme coussin ne pose aucun problème. À moins que nos deux héros ne soient légèrement fêlés, ce qui ne me surprendrait pas.

Le voyage est long et fatigant. Les paysages sont de plus en plus arides à mesure que la route avance. Les vallons chatoyants des environs de Poireauville ont fait place à la steppe. L'horizon semble plus éloigné que jamais, car la région est plate à perte de vue.

Au bout de la route, qui est de moins en moins praticable, la silhouette de Nifelbald se profile enfin. Ludo ne peut cependant pas se permettre de la contempler. Il doit se concentrer pour éviter les trous et les pierres qui jonchent le chemin. Par endroits, une fine couche de neige s'ajoute aux obstacles. C'est un véritable parcours du combattant. Ludo et Barnabuk sont bringuebalés de tous bords et de tous côtés, alors que la pauvre limace passe un mauvais quart d'heure sous les fesses de l'extrater-restre.

Après avoir manqué des dizaines de fois de se casser la figure, nos deux amis pénètrent enfin dans le village tant espéré. Nifelbald est une modeste bourgade, bâtie essentiellement autour de la rue principale. Les bâtiments ne sont pas très hauts et leurs façades de bois mériteraient un bon coup de pinceau. La route se termine à l'entrée du village. C'est un chemin poussiéreux qui lui succède. Il y a un peu de neige ici et là.

Les habitants de Nifelbald sont en majorité des hommes sales et mal rasés, arborant d'épaisses moustaches dans lesquelles on peut retrouver de véritables écosystèmes. Ils regardent la mobylette qui entre chez eux avec étonnement et méfiance.

Ludo et Barnabuk se garent devant le magasin général, le seul et unique commerce du village, dans lequel on peut presque tout trouver.

À peine l'extraterrestre s'est-il levé du porte-bagages, que la limace, qui avait patiemment rongé la réglisse durant le trajet, se sauve sans demander son reste.

Barnabuk la regarde s'en aller.

— Peut-être sera-t-elle adoptée par l'un de ces charmants chercheurs d'or, se dit-il en lui-même avant d'entrer avec Ludo dans le magasin.

Il n'y a personne et aucun bruit. L'endroit semble désert. Seul le plancher craque sous les pas de nos deux amis. Ça sent l'huile rance et la poussière. Il y a toutes sortes de marchandises, plus ou moins bien rangées. Les bidules sont mélangés avec les trucs et les machins ne sont même pas avec les choses.

— Y a quelqu'un ? demande Ludo.

— Ouais ! répond une voix qui émane de l'arrière-boutique.

C'est alors qu'apparaît derrière le comptoir un grand flanc mou bâti comme une armoire. Son dos est voûté, comme s'il avait honte de sa taille. Son crâne est dégarni, ses oreilles décollées et il porte une chemise ample et sale. Il saisit un carnet de commande et un crayon avant de s'accouder mollement.

— Ouais ? fait-il de nouveau.

— Nous avons besoin de nous équiper contre le froid. Nous partons à l'aventure, dit Ludo excité comme une puce. Vous vendez des vêtements chauds ?

— Ouais, répond encore le grand flanc mou, avant de porter ses gros doigts à sa bouche, pour siffler mollement.

Savez-vous siffler avec vos doigts ? Moi, j'en suis totalement incapable, mais bon, ça n'a pas vraiment de rapport avec l'histoire. Enfin oui, un léger, puisqu'au moment où le sifflement retentit, deux opossums roses arrivent. L'un d'eux a la queue graduée comme un mètre de couturier.

Ce dernier grimpe d'abord sur Ludo. Il mesure son tour de taille, son tour de cou et en profite pour lui chatouiller les oreilles. Il lit les graduations sur sa queue et transmet les mensurations du jeune garçon à son collègue, qui note tout dans un petit carnet.

— Nous voudrions aussi louer un attelage de loutres, c'est possible ? demande le jeune journaliste.

— Ouais ! répond l'autre mollement.

— Des loutres, s'étonne Barnabuk en s'efforçant de ne pas rire, tandis que les opossums le mesurent à son tour.

— Glaïeul joyeux ! Bien sûr, répond Ludo, un traîneau tiré par des loutres, c'est le moyen le plus rapide de voyager sur la glace.

Les opossums repartent d'où ils sont venus. Ils passent par-dessus les montagnes de marchandises et on entend bientôt le grincement d'une machine à coudre rouillée.

— Dites-moi, ajoute Ludo en parlant au grand flanc mou, puis-je utiliser votre caméléon télépathe ?

— Ouais ! répond le vendeur, en désignant une petite valise noire au bout du comptoir.

— Par mes pétales, glisse Ludo à Barnabuk, il n'a pas beaucoup de conversation, celui-là !

— Oh, je suis désolé, cher ami, répond l'extraterrestre, mais je pense que vous faites fausse route. Cet homme est un Ouais, il parle dans sa langue maternelle : le ouais. Là, par exemple, il vient de vous dire : « Mais je vous en prie, monsieur, le caméléon est juste là ».

— Figuier de barbarie ! Vous êtes sûr ?

— Oui, lorsque nous sommes entrés, il a dit : « J'arrive, messieurs, je suis dans l'arrière-boutique. »

— Nom d'un magnolia surpris ! Et il a dit ça en un seul mot ?

— Vous savez, le ouais, c'est surtout une question d'intonation.

— Ouais, ouais ? demande alors le grand flanc mou.

— Ouais, ouais, ouais, lui répond Barnabuk sans accent.

— Et là, demande Ludo, qu'a-t-il dit ?

— Il a demandé si nous voulions un attelage de vingt-quatre ou quarante-huit loutres. J'ai répondu que nous prendrions ce qu'il y a de mieux.

— Oui, bien sûr, vous avez bien fait, dit Ludo, mais par la rhubarbe du grand sorbier, Barnabuk, comment se fait-il que vous parliez cette langue étrange, que même un excentrique tel que moi ne connaît pas ?

— Je n'en ai pas la moindre idée, mais je la parle et la comprends sans aucune difficulté. Quant à vous, éclairez-moi ! Qu'est ce que c'est que cette histoire de caméléon ?

— Vous ne savez pas ce qu'est un caméléon télépathe ?

— Je l'ai peut-être su, mais j'avoue que ça ne me dit absolument rien.

— Laitue déjantée ! Vous alors, vous êtes un original ! C'est pourtant très courant. Je vais vous montrer.

Ludo s'approche de la petite valise, au bout du comptoir. Les deux fermetures métalliques claquent. À l'intérieur, se trouvent une machine à écrire miniature et un caméléon endormi.

Ludo le caresse doucement et ce dernier s'étire en bâillant. Le jeune journaliste met alors une feuille bien particulière dans la machine à écrire. Elle est fine et lisse comme du papier, mais elle est verte et d'une texture végétale. Ludo commence à taper un message. Barnabuk lit par-dessus son épaule. Le caméléon, quant à lui, se masse les tempes, en changeant de couleur de plus en plus rapidement.

— Je n'ai pas eu le temps de prévenir monsieur Champignon, dit Ludo. Il faut que je le fasse, sinon je peux dire adieu à mon emploi.

Le message tapé est le suivant :

« Bonjour, patron, désolé de ne pas être au bureau aujourd'hui. J'ai dû partir en vitesse. Par mes pétales, je suis sur un scoop ! J'ai des informations qui indiquent que le sanctuaire des baleines existe et qu'il s'y passe quelque chose de bizarre. Voilà qui correspond bien à ma rubrique, n'est-ce pas ? Ne soyez pas furieux contre moi. Imaginez plutôt en première page : *Le sanctuaire secret des baleines, découvert et sauvé par notre journaliste Ludo Scarlatine ! Et tout cela n'a été possible que grâce au génial rédacteur en chef, monsieur Champignon !* »

Faites-moi confiance, je suis à Nifelbald pour le moment et je pars sous peu vers le nord. Je ne donnerai pas de nouvelles pendant un certain temps, mais soyez sans crainte, nom d'une ronce surexcitée, je vous ramène un scoop ! »

— Très convaincant ! dit Barnabuk.

Ludo sort alors la feuille de la machine à écrire et la donne au caméléon qui commence à la grignoter tranquillement.

— Mais que fait-il ? demande l'extraterrestre.

— Là, il mange le message, puis il va le transmettre par télépathie à Albert le caméléon du journal. Regardez !

Après avoir terminé la feuille, le reptile se met dans la position du lotus, comme quelqu'un qui fait du yoga. Sa peau passe par toutes les couleurs de l'arc-en-ciel.

— Maintenant, dit Ludo, il transmet le message.

— C'est épatant, dit Barnabuk, et très amusant.

— Et vous allez voir, quand il transmet la réponse, il prend la voix de celui ou celle qui a tapé le message de l'autre côté. Ainsi, on est sûr de communiquer avec la bonne personne.

Le caméléon change alors de position. Les couleurs cessent de parcourir son corps. Il se remet à quatre pattes et commence à parler, mais ce n'est pas la voix de monsieur Champignon. C'est le timbre inquiétant, d'un être sans scrupules :

— Nous sommes désolés, monsieur Scarlatine, dit l'inconnu, mais nous avons découpé votre rédacteur en chef en rondelles et nous l'avons dégusté sous forme de risotto. Ne vous inquiétez pas, nous vous en avons gardé une part. Ha ! Ha ! Ha ! Ha ! Par contre, je suis navré, mais il ne pourra pas entendre votre message... Oh, oui, j'oubliais, si vous ne voulez pas qu'il vous arrive la même chose, à vous et à l'extraterrestre, je vous conseille de cesser votre petit voyage. D'ailleurs, à ce propos, je vous remercie de nous avoir dit que vous étiez à Nifelbald. Nous allons pouvoir nous assurer en personne de votre retour à Poireauville.

Le caméléon se recouche et se rendort, impassible.

Un frisson de terreur parcourt Ludo et Barnabuk.

— Nom d'un edelweiss asthmatique ! Qui peut être assez cruel pour manger un champignon ? dit Ludo terrifié. Oh, non, non, non, ça ne se peut pas ! Ce doit-être une plaisanterie. Monsieur Champignon est furieux que je sois parti et il me fait croire tout ça pour que je revienne.

Barnabuk ne bouge pas d'un centimètre, son regard est figé par la peur.

— Je connais cette voix, finit-il par dire, c'est celle d'un milicien blanc.

— Figuier de Barbarie ! Un milicien blanc ? Vous voulez dire l'un des gardes rapprochés de l'impératrice ?

— Je ne sais pas comment je le sais, ni où je l'ai entendue, mais cette voix m'est familière.

— Coussin de belle-mère ! Une de ces brutes vous est familière ? Sainte Fougère ! ça ne me dit rien qui vaille, dit Ludo qui commence légèrement à paniquer.

— Si c'est vraiment un homme de la milice, dit alors une voix qui émane de l'arrière boutique, votre ami le champignon s'est bel et bien fait bouffer et vous, vous êtes dans un sacré pétrin ! Ces gars-là ne rigolent pas.

— Qui a parlé ? demande Ludo un peu à bout de nerfs.

Un drôle de bonhomme se présente derrière le comptoir.

— C'est moi, dit-il, on m'appelle Sigalas et je suis le patron ici.

Il n'est pas si vieux que cela, mais son visage est buriné par le froid, ce qui signifie que sa peau est toute rêche et toute ridée. Sous son gros nez en forme de pomme de terre, il porte une large moustache jaunie par les horribles ciga- rettes qu'il doit fumer en cachette, car vous savez bien que dans ce livre, il est totalement interdit de fumer. Il a une jambe de bois et marche avec une canne.

— Ouais, ouais, dit-il au grand flanc mou qui quitte la pièce.

Les opossums arrivent juste à ce moment-là, avec les vêtements chauds qu'ils viennent de coudre, mais Sigalas frappe sur le comptoir avec sa canne et ils décampent en vitesse.

— Qu'avez-vous fait pour que ces crapules de miliciens blancs soient à votre poursuite ? demande-t-il suspicieux.

— Mais rien, par la rhubarbe du grand sorbier, rien du tout.

— Que venez-vous faire dans les Terres du Nord ? Vous m'avez tout l'air de deux drôles de cocos, ajoute Sigalas en regardant les cheveux rouges de Ludo. Vous ne seriez pas du genre à aller vous faire engager à la mine de Saskiard pour vous faire oublier de la justice, par hasard ?

— De quoi parlez-vous ? demande Barnabuk, un peu ébranlé par tout ce qui se passe.

— De toute façon, ce n'est pas la peine de s'y pointer. Cette satanée mine est fermée.

— Fermée ? Pourquoi ? demande alors Ludo, faussement intéressé, mais soucieux de savoir si cela a un lien avec les baleines.

— Vous êtes bien curieux, mon lascar, pour quelqu'un qui ne veut pas y aller ! Enfin, ce ne sont pas mes oignons.

Quoi qu'il en soit, figurez-vous que quelqu'un a racheté cette mine et l'a déménagée. Tous les ouvriers sont partis, envolés, les machines aussi et personne ne sait où ils sont allés.

Sigalas regarde alors le bon de commande, rempli un peu plus tôt par le grand flanc mou.

— Un attelage, dit-il. Vous partez donc bien vers le nord. Où allez-vous ?

Ludo n'ose pas répondre, Barnabuk non plus. S'ils disent à cet homme-là où ils s'en vont, il risque de se moquer d'eux et s'ils ne disent rien, il continuera à penser qu'ils sont des criminels en fuite. De toute façon, avec la milice blanche à leurs trousses, nos deux amis feraient bien de rester discrets sur leur destination.

La porte du magasin s'ouvre alors violemment.

— Sigalas, Sigalas, dit un homme essoufflé, venez voir, une baleine s'est échouée contre l'église.

La stupéfaction se dessine sur le visage du commerçant. Il attrape sa canne et détale avec une rapidité déconcertante pour quelqu'un qui a une jambe de bois. Ludo et Barnabuk lui emboîtent le pas.

Sur la grand-place de Nifelbald, se dresse une modeste église en bois, dont le toit fait penser à un bateau retourné. Sa façade a la particularité d'avoir été entièrement sculptée au canif par les premiers habitants du village.

Il y a beaucoup de gens attroupés autour du bâtiment, mais de toute évidence, ils ne sont pas là pour en admirer l'architecture. Ce sont des curieux qui se pressent pour voir le pauvre animal échoué sur le flanc.

Il y a une drôle d'atmosphère. Les gens s'approchent de la baleine sans trop savoir comment se comporter. Ils sont à la fois fascinés et effrayés par ce mastodonte agonisant. Certains aimeraient l'aider, mais ne savent pas comment s'y prendre. D'autres sont juste là pour la voir, car ils savent à quel point il est rare de pouvoir approcher une baleine de si près.

À mesure que Sigalas s'avance dans la foule, les gens s'écartent pour le laisser passer. Ludo et Barnabuk le suivent et ils approchent de l'animal blessé qui respire avec difficulté.

— Est-ce que ce sont les miliciens blancs qui l'ont abattue ? demande Barnabuk inquiet.

— L'impératrice et ses soldats se moquent bien des baleines, répond Sigalas. Les miliciens ne sont que des guerriers stupides qui ne respectent rien. Ces crétins n'auraient jamais la bravoure et le courage de traquer une baleine et de lui livrer bataille avec respect.

Ludo a un peu de mal à comprendre comment on peut tuer un animal et le respecter en même temps, mais ce n'est pas le moment d'argumenter là-dessus.

— Ce petit orque à ailes noires n'a pas été abattu, Barnabuk, dit-il. Par mes pétales, il est désorienté comme les autres. En plus, c'est un bébé, triste luzerne ! Il doit en être à sa première migration.

— Vous connaissez bien les baleines, dit Sigalas étonné, vous savez donc que les orques sont de sacrés carnivores et que même à cet âge, leurs dents sont affûtées comme des rasoirs.

Ludo n'est pas impressionné, mais reste prudent. Quand il s'agit de baleines, il n'est plus aussi excentrique. Il les considère avec bien trop de respect pour faire le fanfaron. Il fait mine à Sigalas de ne pas s'inquiéter, et pour la première fois, le commerçant semble lui faire confiance.

— Ce Sigalas va peut-être pouvoir nous aider, se dit Ludo en lui-même, mais il se ravise aussitôt en voyant que le bonhomme remonte ses manches

Ce dernier porte en effet sur l'avant bras un terrible tatouage : un cachalot ailé, dont le cœur est transpercé d'un harpon. C'est la marque des chasseurs de baleines.

— Sainte Camomille ! Vous ne comptez pas la tuer ? demande Ludo inquiet.

— La tuer ? répond Sigalas en constatant que son tatouage est visible. Oh non ! C'est du passé tout ça. Nous allons essayer de la soigner.

Le grand flanc mou du magasin arrive alors avec une bande de six ou sept autres colosses. Ils ont un large traîneau sur lequel ils comptent, sans doute, transporter l'animal. Après s'être approchés doucement, ils tentent délicatement de soulever la baleine grosse comme deux éléphanteaux de notre monde.

La bête ne veut pas se laisser toucher. Elle assène un violent coup de queue à l'un des gaillards qui est propulsé dans la foule. Elle se cambre ensuite pour essayer de mordre le grand flanc mou. Ses dents acérées passent à quelques centimètres du visage de ce dernier, sans qu'il ait le temps de dire ouais.

Même si c'est un bébé, ça reste un orque épaulard. La bête est très agressive et pousse même des grognements, ce qui est rare chez ces animaux qui ont d'ordinaire un chant vif et mélodieux.

Ludo et Sigalas se regardent et se comprennent ; si la baleine se comporte ainsi, c'est qu'elle souffre énormément. D'ailleurs du sang commence à suinter de sous la pauvre bête. Très vite, une terrifiante flaque rouge se répand.

Le baleineau pousse alors un hurlement de mort. Tout le monde recule d'un pas, mais pas Barnabuk, qui est interloqué.

— Je ne sais pas quoi en penser, dit-il, mais cette baleine nous demande de lui rendre ses rêves.

— Ses rêves ? Qu'est-ce que c'est que ces bêtises ? marmonne Sigalas.

— Nom d'un tilleul subjugué ! Vous comprenez aussi la langue des baleines ? demande Ludo à Barnabuk qui en a l'air tout aussi surpris.

— Quoi qu'elle raconte, ajoute Sigalas, pragmatique, si cette satanée baleine ne nous laisse pas voir sa blessure, je ne crois pas que nous pourrons la sauver.

— Moi je peux le faire, dit alors Ludo.

— Attention, dit Barnabuk, vous allez vous faire croquer avant même de l'avoir touchée.

— L'extraterrestre n'a pas tort, ajoute Sigalas, et puis le problème, c'est qu'il faudrait la retourner pour…

— Je n'ai pas besoin de la retourner, affirme Ludo déjà concentré, en s'approchant prudemment de la bête.

À chacun de ses pas, le silence se fait un peu plus dans la foule. Ludo ferme les yeux et avance les mains tendues vers l'animal, un peu comme s'il était aveugle. Sigalas, Barnabuk et tous les habitants de Nifelbald qui sont là, sont terrifiés. Une douce lueur commence à émaner de la paume des mains de Ludo, ce qui a l'air de rassurer la baleine, car elle ne bouge pas.

Comme je vous l'ai déjà dit, notre jeune ami fait partie de ces gens qui ne réfléchissent pas avant d'agir, mais cette fois-ci, il maîtrise parfaitement la situation.

Il pose sa main droite sur le museau de l'animal et glisse sa gauche sous son flanc, le plus près possible de son cœur. La lueur s'intensifie et, comme pour Barnabuk, un cercle d'énergie se forme entre Ludo et la baleine.

La luminosité est de plus en plus intense. Ludo respire calmement et une paix totale règne autour de lui. La baleine se laisse faire. L'étrange énergie semble lui redonner de la vigueur.

Elle commence à battre des ailes doucement, puis décolle sans peine, en prenant bien soin de ne pas heurter Ludo. La lueur cesse quand les mains du jeune homme se décollent du corps de l'animal qui flotte bientôt majestueusement au-dessus de l'église.

La baleine décrit un dernier cercle dans les airs, en guise de remerciement. Elle pousse un petit cri, puis poursuit sa route dans le ciel rosé.

— Elle a dit qu'elle ne nous oublierait pas, glisse Barnabuk à l'oreille de son ami.

Sur la grand-place, c'est le silence. Spontanément, les gens s'écartent pour laisser passer Ludo, Barnabuk et Sigalas. Tout le monde regarde le jeune homme aux cheveux bizarres qui ressuscite les baleines. Certains essaient de le toucher sur son passage, ce qui met Ludo mal à l'aise. C'est à cause de cela qu'il n'aime pas utiliser son pouvoir en public.

— Venez, dit Sigalas un peu décontenancé, allons boire un verre de jus de jujube chez moi. De toute façon, il est trop tard pour que vous partiez ce soir et puis, j'ai plusieurs questions à vous poser...

Les trois acolytes regagnent en silence le magasin général, mais au lieu de pénétrer dans la boutique, ils montent l'escalier qui mène à l'appartement de Sigalas, juste au-dessus. La même drôle d'odeur que dans le magasin y règne. Les opossums sont là et s'affairent à allumer un feu dans la cheminée. Dehors, le grand lampion continue à décroître.

— Asseyez-vous, dit Sigalas en désignant un canapé miteux. Je vais chercher ma meilleure bouteille.

Barnabuk et Ludo ne parlent pas. Il y a une sorte de malaise. L'extra-terrestre rompt finalement le silence.

— Pour moi aussi, tu as… ?

— Oui, répond Ludo un peu gêné.

— Merci, dit simplement Barnabuk.

— Et toi, par mes pétales, tu as vraiment compris ce que disait la baleine ?

— Je ne sais pas. C'est comme certaines des choses qu'on apprend à l'école. Tu crois qu'elles ne servent à rien et tu penses que tu vas les oublier, mais le jour où tu en as besoin, elles te reviennent.

Vous avez peut-être remarqué que c'est la première fois que nos amis se tutoient. Au Pays des Cinq Vents, c'est une grande marque d'amitié.

3

Sigalas revient avec une bouteille recouverte de poussière. Il la débouche et sert ses invités.

— C'est du jus de glace, dit-il. C'est fait à partir de jujubes qu'on a laissé geler ! Mais revenons à vous, mon jeune zigoto. Comment faites-vous cela ? Je veux dire ce truc que vous faîtes, d'où le tenez-vous ?

— Je ne sais pas, dit Ludo, mais je n'aime pas en parler. La plupart des gens qui savent que je l'ai veulent que j'en fasse une carrière ou quelque chose de sérieux

— Et alors ? Moi à votre place, il y a longtemps que je roulerais sur l'or.

— Mais je ne veux pas être riche, triste jonquille, je veux être libre et m'amuser. Quand quelqu'un en a besoin, je l'aide et c'est tout.

— D'accord, d'accord, pas besoin de s'énerver ! Mais quand même, cette chose, ce pouvoir, vous devez bien le tenir de quelque part ?

— Je crois qu'il me vient de ma mère qui est une fleur, mais elle n'a jamais voulu en parler. Lorsque je lui ai posé des questions, elle s'est contentée de me répondre que nous autres, plantes, sommes sur cette terre pour insuffler le souffle de vie aux autres êtres vivants.

Le feu crépite dans la cheminée et inonde la pièce d'une douce lumière jaune. Avec ses doigts agiles, Barnabuk projette sur le mur des ombres qui se déforment, tandis que dansent les flammes. Il sourit, encore ému de savoir qu'il doit la vie à son ami.

— Très bien, dit Sigalas, mais revenons aux baleines. Il y a quelque chose qui me chicotte depuis tout à l'heure. Vous avez dit qu'elles étaient désorientées. Qu'est-ce que ça veut dire ?

Ludo jette un œil hésitant à Barnabuk, puis se lance.

— Eh bien, pour être brefs, disons que nous avons des raisons de penser que si les baleines s'échouent un peu partout, c'est parce que quelque chose d'anormal se passe dans leur sanctuaire sacré. C'est quelque chose de très grave, lavande pourrie ! Quelque chose qui menace de l'engloutir. Voilà pourquoi nous allons vers le nord.

— Vous ! Les deux zigotos ! Vous voulez trouver le sanctuaire séculaire des baleines ? s'esclaffe Sigalas.

— Vous ne croyez pas à son existence ? Morte citrouille ! Vous n'êtes pas le premier, vous savez, répond Ludo qui s'attendait à cette réaction.

— Au contraire, j'ai passé ma vie à le rechercher et j'ai toujours échoué. Je vous trouve bien effrontés de vous lancer ainsi à l'assaut du grand désert blanc.

— Par la rhubarbe du grand sorbier ! Donc vous y croyez ?

— Bien sûr ! Ce maudit sanctuaire existe, tous les chasseurs de baleines vous le diront, mais rares seront ceux qui vous avoueront qu'ils rêvent secrètement de le trouver. Beaucoup d'entre eux ont essayé et n'en sont pas revenus. En ce qui me concerne, j'en ai été quitte pour cette satanée jambe de bois.

— Allez-vous nous aider ? demande candidement Barnabuk qui jusque-là donnait l'impression de ne pas écouter.

— Je vais faire mieux que ça, répond Sigalas plein de mystère, suivez-moi.

Ils sortent de la maison et traversent la cour enneigée du magasin général. Un peu plus loin, à la lisière du grand désert de glace, se dresse une grange tout aussi délavée que les autres bâtiments. Sigalas s'arrête juste devant la porte et se retourne vers Ludo et Barnabuk.

— Vous savez, dit-il, j'ai une petite théorie personnelle sur la façon dont les baleines font leur migration.

— Quelle est-elle ? demande Barnabuk.

— Eh bien, je prétends que le sanctuaire émet un certain magnétisme, des ondes électro-nigautiques, un peu comme celles de la nigauvision, que les baleines sont capables de ressentir pour se repérer.

— C'est intéressant, ajoute Barnabuk, et cela concorde avec notre hypothèse selon laquelle, c'est un dérèglement du sanctuaire qui cause les échouages.

— Oui, dit Sigalas, et j'ai passé plusieurs années à bidouiller une machine qui pourrait donner la direction dans laquelle sont émises les ondes, afin de les suivre et retrouver le sanctuaire.

— Nom d'un crocus endimanché ! Et vous avez réussi à créer une telle machine ? demande Ludo, excité comme une puce.

Sigalas pousse alors les portes de la grange.

— J'appelle ça une pantoufle ! dit-il fièrement.

Devant un large rideau gris, sur une table crasseuse, est déposée une grosse machine, qui ressemble à une nigauvision, mais sans écran. Elle comporte des voyants de toutes les couleurs et une multitude de boutons.

— Figuier de barbarie ! C'est formidable !

— Je l'ai construite à partir de ma nigauvision. Je ne la regardais jamais. Je n'aime pas ces maudites émissions de nigaud-réalité.

— Mais pourquoi ce nom étrange de pantoufle ? demande Barnabuk.

— Oh, ça ! Je n'y suis pour rien. C'est cet imbécile d'auteur qui me l'a imposé ! Il paraît que c'est son mot préféré et qu'il ne savait pas où le placer dans l'histoire.

Ne l'écoutez pas, chers lecteurs. Il divague. Jamais un auteur responsable tel que moi ne ferait passer ses intérêts personnels avant ceux de l'histoire... D'ailleurs ce brave Sigalas en ferait une drôle de tête, s'il savait que dans notre monde son invention existe depuis bien longtemps. Ça s'appelle une boussole et ça tient dans la poche. Mais voyons en détail la fameuse pantoufle.

— C'est très facile à utiliser, dit justement Sigalas. Vous regardez les cinq voyants, ils doivent toujours être rouges. Si par exemple, ceux de droite deviennent verts, cela veut dire que vous êtes dans les patates et qu'il faut aller vers la gauche pour rétablir la direction. Plus il y a de voyants verts, plus il faut redresser l'angle. C'est simple, non ?

— Et si tous les voyants sont verts ? demande Ludo.

— Alors, c'est que vous êtes une andouille et qu'il vous faut faire demi-tour, répond fièrement Sigalas.

— Avec une telle machine, dit Ludo, cela augmente nos chances de trouver le sanctuaire.

— Oui, mais il y a un problème, dit Barnabuk.

— J'ai autre chose à vous montrer, dit Sigalas en lui coupant grossièrement la parole.

Il faut dire que le bonhomme est particulièrement excité. Sa jambe de bois l'avait jusqu'à présent privé de son rêve de trouver le sanctuaire. Il a aujourd'hui l'occasion de le réaliser à travers Ludo et Barnabuk, et il va même leur fournir une aide supplémentaire.

— Un attelage de loutres, c'est bon pour les touristes ! Ces maudites bestioles se fatigueraient bien trop vite et vous vous retrouveriez comme deux imbéciles à devoir marcher dans le grand désert blanc. Je vais vous donner l'engin le plus rapide qui soit pour traverser les Terres du Nord.

Sigalas tire sur le grand rideau gris et ses invités découvrent le reste de la grange. Elle abrite l'une des machines les plus grandioses que Ludo ait jamais vue. Quant à Barnabuk, il faut admettre qu'il est moins impressionné.

— C'est un voilier des glaces, dit le vieux chasseur.

Il s'agit d'un drôle d'engin fait d'un peu de métal et de beaucoup de bois, à mi-chemin entre un traîneau et un voilier.

Il est surmonté d'un mât et d'une grand-voile minutieusement roulée. À l'arrière de l'embarcation, on peut distinguer une longue barre de bois qui doit sans doute faire office de gouvernail. La ressemblance avec un navire s'arrête cependant là, puisque ce qui aurait été la coque du bateau, est en fait une large charpente en forme de T. Sous chacune de ses extrémités sont disposées de longues planches lisses pour glisser sur la neige. Imaginez un trimaran, dont les flotteurs auraient été remplacés par des skis.

— Et quand vous êtes sur la glace, dit Sigalas, vous tirez sur cette poignée.

Il actionne un petit levier près de la barre et des patins en métal se substituent aux skis.

— Nom d'un vanillier dithyrambique, c'est génial ! s'exclame Ludo comme un enfant qui vient de recevoir un nouveau jouet. Il ne pense qu'à s'amuser et en montre là un bel exemple.

Barnabuk, lui, cogne sur la charpente de l'embarcation pour en tester la solidité. Il est moins convaincu que son excentrique partenaire.

C'est alors que le grand flanc mou entre dans la grange avec fracas.

— Ouais, ouais, ouais.

— Oh non ! lâche Barnabuk terrifié.

— Quoi ? demande Ludo inquiet.

— Les miliciens blancs, dit Sigalas, ces maudits voyous entrent dans la ville. Vous devez fuir, maintenant.

— Mais il fait nuit, dit Barnabuk.

— Vous n'avez pas le choix, nous pourrons les retenir quelques heures pour qu'ils perdent votre trace, mais il n'est pas question d'attendre jusqu'à demain.

— Ils sont très forts et n'ont aucune pitié, dit Barnabuk.

— Oui, répond Sigalas, et nous, nous sommes nombreux. Je ne connais personne à Nifelbald qui ne voudra pas aider à s'enfuir celui qui soigne les baleines avec ses mains.

Ludo lève les yeux au ciel.

— Mais même si vous êtes plus nombreux, vous ne pourrez pas les combattre.

— Qui a parlé de les affronter ? dit Sigalas avec un petit sourire en coin.

Il se retourne vers le Ouais et lui dit quelque chose dans sa langue. Le grand flanc mou fait un signe de la tête et quitte la grange. Barnabuk qui a compris ce qu'il vient de dire est un peu perplexe.

Sigalas siffle alors et les opossums arrivent avec les manteaux qu'ils ont cousus plus tôt.

— Partez dès que possible, dit l'ancien chasseur. Nous allons retenir leur attention, jusqu'à ce que vous soyez hors de portée.

— Et comment allons-nous nous diriger dans la nuit ? demande Barnabuk.

— Débrouillez-vous pour que les voyants de la pantoufle soient toujours rouges et laissez-vous glisser.

— Ce sera un jeu d'enfant, dit Ludo, qui n'a vraiment aucune idée de la façon dont on pilote un voilier des glaces.

— Oui, mais si…, tente d'ajouter l'extraterrestre, mais Sigalas le coupe encore.

— Je ne vous dis pas adieu, j'espère qu'on se reverra, dit-il.

— Par l'illustre romarin ! Comment pourrons-nous assez vous remercier ? demande Ludo.

— Vous avez mon rêve entre les mains, répond Sigalas, suivez la pantoufle, trouvez le sanctuaire, et c'est moi qui vous remercierai.

Il quitte la grange à son tour. Un des opossums tire alors la manche de Ludo, il l'aide à enfiler son gros manteau. L'autre fait de même avec Barnabuk.

Pendant ce temps, cinq miliciens pénètrent dans Nifelbald. Ils portent leur uniforme significatif : un grand manteau blanc en fourrure d'écureuil polaire (une espèce aujourd'hui disparue), de larges lunettes noires qui empêchent de distinguer leur regard et un brassard rouge sur lequel est cousu un I majuscule noir, symbole de l'impératrice. Chacun porte en bandoulière, le terrible foliphone, qu'ils sont les seuls dans le pays à avoir le droit d'utiliser.

J'imagine, chers lecteurs, que vous n'avez pas la moindre idée de ce que peut-être un foliphone. Il s'agit d'une arme à la fois effrayante et sournoise. Au premier abord, cela ressemble à une sorte de fusil au bout duquel est fixé un petit haut-parleur, un peu comme un porte-voix. Cependant le foliphone n'émet pas un son ordinaire : il diffuse le bruit-qui-rend-fou. Si vous ne l'entendez que quelques secondes, vous en serez quitte pour perdre la boule temporairement, mais si vous y êtes exposé trop long-temps, le bruit-qui-rend-fou vous rendra zinzin pour le reste de vos jours.

On ne compte plus, au Pays des Cinq Vents, le nombre de gens qui sont deve-nus déments après avoir entendu le foli-phone.

Les miliciens blancs entrent donc dans Nifelbald, lourdement armés et ils ne semblent pas être venus pour s'amu-ser. Ils marchent lentement en scrutant les différents bâtiments de la ville avec de puissantes lampes dont les faisceaux balaient la rue principale déserte.

Pendant ce temps, Ludo et Barnabuk embarquent sur le voilier et les opossums ouvrent les portes arrière de la grange. Elles donnent directement sur le désert de glace, qui s'étend à perte de vue, baigné par la vive clarté de la lune du nord.

L'un des deux opossums détache la grand-voile, qui se déploie sous la brise glacée.

Barnabuk allume la pantoufle, Ludo tient la barre et le voilier commence à glisser en silence sur l'immensité blanche.

— Il va falloir que Sigalas les retienne longtemps, dit Barnabuk, avec la pleine lune nous serons visibles de loin.

— Espérons qu'il réussira, dit Ludo. Au fait, qu'a-t-il dit tout à l'heure ? Tu as eu l'air surpris.

— Eh bien, je ne sais pas si j'ai bien compris, mais je crois qu'il a dit : « C'est un cas de bottes et de plumes, dis aux autres de se préparer ». Je ne sais pas ce que ça peut bien vouloir dire.

— Par le basilic poilu, moi non plus, dit Ludo en regardant le village qui s'éloigne, et pourtant je suis un excentrique !

Les hommes de la milice s'approchent du magasin de Sigalas, car leur attention a été attirée par la mobylette de Ludo, qui est restée garée devant. La rue principale est toujours sombre et déserte. Tout à coup on entend une voix dans la pénombre qui dit :

— Un, deux... Un, deux, trois, quatre !

Une guitare électrique et une batterie commencent à jouer plus fort que vous ne pouvez l'imaginer. Deux gros projecteurs installés au sommet de bâtiments poussiéreux s'allument et éclairent une situation surréaliste, même au Pays des Cinq Vents.

Au milieu de la grand-rue est installée une petite scène sur laquelle se trouve un groupe de rock n' roll. À la batterie, on retrouve le grand flanc mou. Il bat la mesure comme un démon. La guitare rythmique et la basse sont assurées par

deux vieux chercheurs d'or barbus qui, eux aussi, ont le rythme dans la peau. C'est alors que saute sur scène une espèce d'énergumène vêtu de cuir, chaussé de bottes à talons hauts et coiffé d'un casque de plumes, comme les danseuses de cabaret. Il a une guitare électrique et se retourne en hurlant dans le micro.

Oh ça alors ! Vous ne me croirez sûrement pas, mais c'est Sigalas.

Oui, c'est bien lui. Le vieux chasseur de baleines à la jambe de bois s'est métamorphosé en une excentrique vedette de rock. Il est déchaîné et met littéralement le feu aux planches.

Les miliciens blancs sont très surpris et un peu dépassés par les événements. Ils arment leurs foliphones et se préparent à s'en servir, comme ils le font systématiquement quand quelque chose ne se passe pas comme ils l'avaient prévu. La grand-rue est alors instantanément envahie par les habitants de Nifelbald. Tout le monde est venu danser sur la musique. La foule est déchaînée et même les personnes âgées se trémoussent comme de beaux diables. En quelques secondes, la marée humaine engloutit les cinq miliciens, qui ne peuvent que se laisser emporter jusqu'au petit matin.

La musique effrénée de Sigalas et son groupe aura eu raison des puissants et dangereux guerriers blancs et de leur bruit-qui-rend-fou. Le rock n'roll, chers lecteurs, le rock n'roll nous sauvera tous !

Peut-être que Barnabuk, avec l'ouie fine des extraterrestres, a entendu la musique. Peut-être s'est-il réjoui de cette façon originale de neutraliser des soldats sanguinaires ? Toujours est-il que le voilier des glaces poursuit sa route, droit vers le nord, sous un ciel clair, baigné d'étoiles.

4

Après plusieurs heures de navigation, le grand lampion commence à caresser le désert de glace. Barnabuk et Ludo sont fatigués. Le voilier est un moyen de transport rapide, mais qui demande une grande concentration. Le moindre écueil, la moindre brèche dans la glace pourrait les faire chavirer. Le froid est de plus en plus vif à mesure qu'ils avancent et malgré l'épaisseur de leurs manteaux, les deux compères grelottent. À cette vitesse, un vent glacial les scie en permanence.

Tandis que la lumière envahit l'immensité blanche, Ludo a le cœur serré. C'est avec son amie Marie Mandibule qu'il devait faire ce voyage. La pantoufle le mènera à leur rêve commun, dommage qu'elle ait choisi de l'abandonner. Il jette un œil à Barnabuk Gordon et il se dit que c'est tout de même un compagnon de choix pour une telle équipée.

L'extraterrestre regarde les voyants de l'invention de Sigalas avec perplexité. Il consulte également la carte des Terres du Nord, que les opossums ont eu la bonne idée de leur laisser. Il calcule leur direction à l'aide d'un compas et se surprend à trouver tout cela très naturel. Barnabuk connaît les cartes géographiques, et celle qu'il a sous les yeux ne lui est pas inconnue. En l'étudiant avec soin, il a l'étrange sensation que la trajectoire indiquée par la pantoufle n'est pas la bonne.

— Il y a quelque chose qui cloche avec ce bidule, dit-il à Ludo.

— Souci des jardins ! Qu'est-ce qui te fait dire ça ?

— Je ne sais pas, dit-il en s'approchant de son ami, la carte à la main, selon ce qu'indique la pantoufle, le sanctuaire devrait se situer quelque part ici.

Il désigne un secteur tout en haut de la carte.

— Oui, eh bien ?

— Je ne sais pas pourquoi, mais selon moi, il se trouve ici.

Il désigne un autre endroit sur la carte, bien plus à l'ouest.

— C'est une intuition ? demande Ludo.

— Pas vraiment, répond Barnabuk, j'ai l'impression d'avoir déjà vu une carte sur laquelle le sanctuaire se trouvait ici.

— Sainte giroflée ! Je crois que ta mémoire embrouillée s'est mélangée à ton imagination, mon ami. Selon les gens raisonnables et sérieux de ce pays, le sanctuaire n'existe pas. Il n'est donc répertorié sur aucune carte.

— Et depuis quand crois-tu ce que les gens sérieux racontent ? demande Barnabuk ironique.

— Tu as raison, dit Ludo, mais tout de même, il n'y a pas de raison que la pantoufle se trompe. La théorie de Sigalas, sur les ondes électronigautiques, me paraît tout à fait intelligente.

— Oui, mais si toutes les baleines s'échouent, c'est peut-être que ces fameuses ondes sont embrouillées. La route que nous suivons ne va peut-être nulle part.

— Par mes pétales, c'est bien possible, mais c'est la seule route que nous ayons à suivre. Alors tentons notre chance et nous verrons.

C'est le genre d'argument qui illustre à merveille la personnalité de Ludo. Cela semble convenir à Barnabuk, puisqu'il retourne à la pantoufle et continue à scruter les voyants rouges.

Ludo, lui, est préoccupé par autre chose. Depuis le début du voyage, ils ont eu de la chance. La direction indiquée par la pantoufle était toujours dans le sens du vent, ce qui facilitait les manœuvres de navigation. Si par hasard, ou par malheur le vent venait à tourner, il serait beaucoup plus difficile de mener cette embarcation. Pour l'instant, le voilier glisse sur la glace, comme un patineur pressé, mais au loin, le ciel blanchit et cela n'annonce rien de bon.

Les craintes de Ludo se concrétisent d'abord par de la poudrerie. De petites rafales de vent, chargées de neige, glissent au ras de la glace. Comme des serpents blancs émergés des profondeurs gelées, ces petites traînées ondulent sur l'immensité, dans une danse inquiétante.

Le froid est de plus en plus rude. Barnabuk est tellement emmitouflé dans son manteau, qu'on ne voit même plus la moindre parcelle de sa peau grise. Les quelques cheveux de Ludo qui dépassent de son bonnet, ont flétri et se sont fanés. Le vent du nord se lève. Il ne tolère pas qu'on le défie ainsi. La voile est gonflée comme jamais. Les cordes sont tendues et le bateau prend encore plus de vitesse. Il faut se cramponner !

Ludo tient la barre en essayant tant bien que mal de suivre les directives de Barnabuk, mais le sifflement du vent dans ses oreilles couvre la voix de son ami.

Les petits serpents de poudrerie sont devenus des géants. La neige se soulève et s'accumule sur le flanc du bateau. C'est la tempête.

Comme cela arrive souvent sur cette terre de glace, le temps s'est couvert en quelques minutes, sans que personne n'ait pu s'y préparer. La neige tourbillonne tout autour du bateau. Il est difficile de différencier le sol du ciel.

Tout à coup, Barnabuk hurle quelque chose. Ludo ne comprend pas et c'est la catastrophe.

Le voilier des glaces heurte un écueil, un rocher figé dans la glace, qui dépassait de la banquise lisse et froide. Le bateau s'arrête net. Barnabuk et la pantoufle sont projetés en avant. La structure en T est fendue en deux et les skis partent dans des directions opposées. Le mât encaisse alors le contrecoup du choc et se brise comme une allumette. La voile, toujours attachée au bateau, se gonfle sous le vent et fait virevolter les cordes, comme des fouets. Un gros morceau de bois se promène dangereusement au bout de l'une d'elles.

Cramponné à la barre, Ludo a réussi à rester à bord, mais il faut faire vite pour repérer Barnabuk. Si par malheur il est inconscient, la neige l'aura bientôt enseveli et il sera introuvable.

Ludo saute du voilier, il scrute les alentours en cherchant son ami du regard. Un peu plus loin, il remarque les voyants de la pantoufle qui commencent à disparaître sous la neige. Le jeune homme se précipite dans la direction de la machine, espérant y trouver également son ami. Il creuse le manteau blanc et récupère la pantoufle, mais ne trouve aucune trace de Barnabuk.

Ludo panique, il regarde partout autour de lui et ne voit que la tempête.

Une voix se fait alors entendre à travers le blizzard.

— Hé ! Ludo ! Viens m'aider, veux-tu ?

C'est Barnabuk ! Ludo se précipite dans sa direction pour lui venir en aide, mais il se rend compte rapidement que l'extraterrestre n'a besoin d'aucun secours. Il est en train d'essayer de démonter l'un des patins à glace du voilier.

— Nom d'un cyprès frigorifié, se dit Ludo, en voilà un qui est coriace !

— Allez, viens pousser par ici, dit Barnabuk.

Ludo s'exécute et tous deux joignent leurs efforts pour faire pivoter le patin afin de le dévisser. Après avoir forcé un moment, ce dernier cède enfin et Barnabuk arrive à le détacher de la structure.

L'extraterrestre s'en sert alors comme d'un couteau et il commence à découper la voile.

— Par le groseillier bègue ! Qu'es-tu en train de faire ? lui demande Ludo.

— Du recyclage ! répond-il fièrement.

Incrédule, Ludo regarde son ami s'activer. Ce dernier découpe le tissu avec précision. Il taille des morceaux de bois dans la coque éventrée du bateau et sectionne les cordes de la voilure.

Peu à peu, le jeune journaliste découvre l'inventivité de son camarade. Barnabuk est en train de fabriquer une tente.

Au bout de quelques minutes, l'abri de fortune est terminé. L'ingénieux extraterrestre a même conçu un auvent à l'extérieur, pour pouvoir faire un feu sans risquer que le vent l'éteigne. Il frotte des morceaux de bois entre eux et bientôt le brasier réchauffe les deux infortunés.

— Nous allons devoir attendre la fin de cette tempête, dit Barnabuk.

Ludo pousse un long soupir. Il jette un œil à la pantoufle, qui continue à indiquer la direction du sanctuaire, mais qui ne les mènera nulle part pour l'instant.

Les heures passent et l'ambiance est morose. Barnabuk taille un morceau de bois pour tuer le temps et Ludo alimente le feu qui, malgré l'auvent, menace de s'éteindre à la moindre bourrasque. Le stress commence à se faire sentir. Les provisions laissées par les opossums et les morceaux de bateau à brûler ne seront pas éternels. Les tempêtes nordiques, elles, peuvent durer très long-temps.

À quelques mètres de la tente, le voilier n'est plus qu'un souvenir, puisqu'il est presque entièrement enseveli sous la neige. À mesure que le temps passe, nos amis sont de plus en plus déprimés, surtout Ludo

— Il y a tout de même une conso-
lation dans cette situation, dit Barnabuk,
c'est qu'avec un tel climat, les miliciens
blancs ne nous retrouveront jamais.

— Et peut-être que nous ne nous
retrouverons jamais nous-mêmes, ajoute
Ludo.

— Allons ! Il ne faut pas perdre
espoir. Je t'ai déjà connu plus combatif.
Je m'ennuie de ton côté excentrique.

— Saule pleureur ! Je commence à
croire que tous ces gens sérieux ont
raison. Il vaut mieux rester raisonnable
et mettre ses rêves de côté. Je me suis
peut-être emballé trop vite. Si ça se
trouve, ton message avait une autre
signification. Peut-être que nous ne trouverons rien au bout de cette route, aucun
sanctuaire, aucun Sopholite d'Alba. Peut-
être même que nous ne trouverons jamais
qui tu es. Nom d'une pivoine recroque-
villée !

— Je ne sais pas ce qui nous attend,
répond Barnabuk, mais je suis sûr d'une
chose, à la fin de ce voyage, j'aurai trouvé qui je suis et toi aussi. Au bout de

cette route, tu en sauras bien plus sur celui que tu es, qu'aucun livre ne pourra jamais te le dire. Ce n'est pas la destination qui compte, c'est le chemin. Ce n'est pas parce qu'un rêve semble inaccessible, qu'il ne faut pas essayer de le réaliser.

Ces paroles de Barnabuk apaisent Ludo et l'aident à trouver le sommeil dans cette petite tente balayée par les vents.

Le lendemain matin, la tempête n'a toujours pas cessé, mais le Ludo plus combatif est de retour. S'il pouvait tourner en rond, il le ferait, mais la tente étant minuscule, il se contente de passer la matinée à marmonner. Barnabuk, lui, semble davantage résolu à prendre son mal en patience, conscient qu'il n'a aucun contrôle sur la météo.

Les morceaux de bois pour le feu diminuent à vue d'œil et la tente, même si elle protège nos amis du vent, ne suffira pas à les garder au chaud.

— Il va falloir sortir, dit Ludo.

— Avec cette neige, dit Barnabuk, on ne voit même pas ce qui nous attend au pas suivant. Tu peux te perdre dans la tempête et mourir de froid à quelques mètres de la tente.

— Nom d'une asperge albinos ! Il faut trouver du bois. Si le feu s'éteint, nous allons effectivement mourir de froid, par mes pétales ! Écoute, je vais prendre cette corde et l'attacher autour de ma taille. Toi, tu vas la tenir solidement, comme ça je vais pouvoir explorer les environs, essayer de trouver d'autres morceaux du bateau. Je n'aurai qu'à suivre la corde pour revenir à bon port.

— Ah ! Comme un fil de Françoise !

— Exactement, répond Ludo, mais tu ne finiras pas tout nu ! Nom d'un coquelicot naturiste ! Ha ! Ha ! Ha !.

Les deux compères rient de bon cœur à cette bonne blague, mais pour la comprendre, il faut avoir quelques références quintiventoises.

Voici donc :
LA CAPSULE FOLKLORIQUE DES MONDES FICTIFS

Une présentation de la société touristique des mondes imaginaires. « Venez nous voir à votre prochain rêve ! »

Aujourd'hui, l'expression du Pays des Cinq Vents : le fil de Françoise.

Cette expression est une variante de fil d'Ariane, employée dans le monde réel.

Vous connaissez peut-être la légende grecque selon laquelle Thésée, un jeune garçon, est envoyé dans le labyrinthe de Cnossos pour s'y perdre et être dévoré par le terrible Minotaure, une créature mi-homme, mi-taureau. Dans cette légende, avant que Thésée ne s'aventure dans le labyrinthe, Ariane, la fille du roi, lui donne une pelote de laine. Ainsi, il peut la dérouler au fur et à mesure de sa progression dans le labyrinthe et, après avoir vaincu le Minotaure, retrouver son chemin en suivant ce qu'on a appelé le fil d'Ariane.

Au Pays des Cinq Vents, cette légende parle de fil de Françoise.

Cela vient de l'histoire de Dédée (oui cela s'écrit ée), un jeune cornichon beau et fringant. D'ailleurs il paraît que c'est l'arrière-arrière-arrière-arrière-grand-père du cornichon rabougri, qui était accoudé au bar du Poireau Guilleret, au début de l'histoire.

Toujours est-il que ce fameux Dédée avait demandé la main d'une jeune princesse appelée Françoise. Le père de celle-ci, le roi de l'Est — oui, à l'époque il y avait un roi — lança un défi au jeune prétendant. S'il réussissait, il aurait le droit d'épouser la belle.

Dédée devait aller chercher le Trèfle à Cent Feuilles, une plante magique qui porte une chance éternelle à son propriétaire. La petite difficulté résidait dans le fait qu'on ne la trouvait qu'au cœur du marais de Crottos, une gigantesque crotte de bique dans laquelle beaucoup de gens sont entrés et peu en sont ressortis.

Vêtu de son armure de métal, le jeune cornichon salua sa belle avant de plonger dans la crotte. En s'en allant, il accrocha l'une des mailles de la tunique de celle-ci. Évidemment, il se perdit dans le marais et ne trouva jamais le fameux trèfle. Cependant, il put retrouver son chemin et rentrer sain et sauf en suivant le fil de laine qui s'était accroché à son armure par mégarde.

Lorsqu'il arriva auprès de sa belle, la pauvre s'était retrouvée toute nue puisqu'en tirant sur la laine, Dédée avait effilé sa tunique.

Le cornichon était sorti vivant du marais de Crottos, grâce au fil de Françoise, mais n'eut jamais la main de la princesse. Il est vrai qu'il avait non seulement échoué à sa tâche, mais il avait également déshabillé une jeune fille sans son consentement, ce qui de tous temps et de tous mondes n'est pas quelque chose d'acceptable. L'infortuné Dédée ne se maria pas, mais l'expression « Le fil de Françoise » était née.

C'était
LA CAPSULE FOLKLORIQUE DES MONDES FICTIFS

Veuillez, chers lecteurs, m'excuser pour cette interruption de l'histoire, mais j'y suis obligé si je veux avoir des subventions...

Revenons à Ludo, qui est parti seul dans la tempête, à la recherche de bois à faire brûler, relié à son ami par une simple corde. Il ne peut pas s'aventurer bien loin, le fil de Françoise fait cinq mètres tout au plus. Barnabuk tient la corde solidement. Il n'est pas question de la lâcher, car la neige est si dense que Ludo s'y perdrait à jamais. L'extraterrestre n'a devant les yeux qu'une corde tendue, qui se perd dans la tempête. Elle va de gauche à droite, Ludo explore le territoire. Tout à coup sa voix se fait entendre :

— Par la rhubarbe du grand sorbier ! Barnabuk, crie-t-il enthousiaste, je vois de la lumière.

— De la lumière, c'est impossible.

— Si, si, je vois quelque chose qui clignote.

Ludo revient alors vers la tente en suivant la corde. Il apparaît à travers la tempête, comme un fantôme évadé du royaume des morts.

— Nom d'une tulipe économiste ! Je ne sais pas ce que c'est, dit-il en arrivant, mais ça clignote sans arrêt.

— À quelle distance est-ce ?

— C'est difficile à dire, avec cette neige et ce brouillard. Je crois que nous devrions y aller.

— Mais nous n'avons pas de corde plus longue, dit Barnabuk.

— Il faut tenter le coup. Nous pourrions essayer de nous repérer avec la pantoufle.

— Je ne suis pas sûr qu'on pourra se fier à ce truc.

— Peut-être, mais nous n'avons plus rien pour nous chauffer et, par la sainte chicorée, nous ne savons pas combien de temps cette tempête va durer.

— Et si c'était une base de la milice blanche ?

— Je suis prêt à courir le risque, nom d'un bouton d'or patriote ! Tu l'as dit toi-même, l'important ce n'est pas le but, c'est le chemin, et moi, je n'en peux plus de rester ici.

— Très bien, allons-y, dit Barnabuk, il sera toujours temps d'improviser, si tout cela tourne mal.

L'extraterrestre s'emmitoufle comme il se doit et les deux amis partent en direction de cette étrange lumière clignotante. La pantoufle, si elle fonctionne bien, devrait au moins leur permettre de marcher en ligne droite et de ne pas zigzaguer, au cas où ils auraient à faire demi-tour.

Déjà la tente n'est plus visible. Ludo et Barnabuk sont livrés à eux-mêmes. Le grand désert blanc n'est pour l'instant qu'une gigantesque rafale de blizzard chargée de neige. On n'y voit absolument rien, mis à part les voyants de la pantoufle. S'il n'y a pas un quelconque refuge au bout de cette expédition, les deux amis sont perdus.

Tout à coup, Ludo s'arrête et montre enfin à Barnabuk la fameuse lumière. Ce n'est qu'un petit point orangé clignotant, mais c'est peut-être leur seule chance de salut.

5

Les deux compères marchent et marchent encore en direction de cette lumière qui, comme un phare, les guide dans la tourmente. Le vent glacé leur fouette le visage et leur rappelle que cette petite sortie risque d'être sans retour. Il ne faut pas se décourager, avancer dans cette neige épaisse sans réfléchir, ne pas penser au but, se concentrer sur chaque pas.

La lumière s'intensifie, ce qui est encourageant. Ludo et Barnabuk constatent peu à peu qu'il y en a plusieurs et que ce sont des lettres, un peu comme une enseigne de magasin. Ils sont cependant trop loin et la tempête est trop rude pour qu'ils puissent les lire. Ils baissent la tête pour éviter d'avoir trop de neige dans les yeux et continuent à avancer en ligne droite.

Après une longue marche, dans la neige jusqu'aux genoux, Ludo et Barnabuk atteignent enfin leur but. C'est une petite maison de bois blanche, sur laquelle sont effectivement disposées des lettres lumineuses :

ADRIENNE CHALUMEAU

BLANCHISSERIE   LAVOMATIC, dit l'enseigne.

— Figuier de barbarie ! C'est impossible, murmure Ludo, qui est pourtant habitué aux choses bizarres et insolites.

Les deux amis, emmitouflés mais gelés, s'approchent davantage. À travers la vitrine, ils voient de grosses machines à laver, avec des hublots presque aussi grands que des personnes.

Que fait cette blanchisserie au milieu d'un désert de glace ? Pour qui est-elle là ?

Ludo et Barnabuk entrent avec un peu d'appréhension. À première vue, l'endroit est accueillant. Il y règne une douce chaleur, qui soulage les voyageurs frigorifiés. Un petit filet de poussière flotte dans un rayon du grand lampion, qui traverse la fenêtre.

Attendez un peu, c'est très étrange ! Il règne dehors une tempête de tous les diables, mais il fait beau à l'intérieur. C'est comme si une journée d'été s'était figée ici pour toujours.

Une odeur de thé chaud se promène dans la pièce et les deux amis sont avant tout soulagés d'être à l'abri. Cependant, ce réconfort est accompagné d'une crainte, celle de trouver en ces lieux des miliciens blancs, ou pire encore...

Il est vrai que l'endroit est incongru. Même au Pays des Cinq Vents, où beaucoup de choses insolites peuvent se produire, une laverie au beau milieu du désert du nord est quelque chose d'inattendu et donc d'un peu inquiétant. De plus, rien ne dit que la magie qui semble régner ici n'est pas maléfique.

Il y a une vingtaine de machines à laver le linge qui ont toutes ce grand hublot que je vous ai décrit plus tôt. Il y en a cinq sur chacun des quatre murs. Il y a aussi des distributeurs automatiques de bonbons et de boissons gazeuses, ainsi qu'un grand bac au centre de la pièce, qui doit certainement servir de poubelle.

Au-dessus des machines à laver, sont gravées d'étranges inscriptions.

— C'est la langue du peuple du nord, dit Barnabuk. Ici il est écrit Nord, là Sud puis Est et Ouest.

— Bizarre, dit Ludo.

Les deux compères n'ont pas manqué de remarquer d'autres inscriptions et dessins, qui relèvent également de la tradition du peuple du nord : des baleines, des renards des glaces, des chasseurs…

Dans les Terres du Nord, on retrouve deux types de personnes, celles venues d'ailleurs dans le pays, comme les chercheurs d'or ou, les chasseurs, qui bien souvent sont des imbéciles qui saccagent tout sur leur passage, quoiqu'il ne faille pas généraliser. Sigalas, par exemple, est l'un d'eux et ce n'est pas un rustre pour autant.

Il y a aussi les gens du nord, ceux qui sont nés ici. Ils sont un peu à l'écart du reste du pays, ils ne se soucient guère de l'impératrice et vivent en harmonie avec leur environnement plutôt rude. Ludo a toujours été fasciné par ces gens, car ce sont les plus fins connaisseurs de baleines qui soient. Le fait de voir ces inscriptions le rassure quelque peu.

C'est alors qu'une grosse bonne femme hirsute, à la tignasse grise, sort de l'une des machines à laver. À ses traits, on remarque tout de suite qu'elle fait partie de ce fameux peuple du nord. Elle porte un tablier taché et n'a pas l'air de bonne humeur !

— Que faites-vous ici, petits malotrus malodorants ? demande-t-elle sur un ton plutôt antipathique.

Il s'agit d'Adrienne Chalumeau, la propriétaire des lieux. C'est une personne pour le moins particulière. Vous ne le savez sûrement pas, Ludo et Barnabuk non plus, mais elle est la personne la plus grossière de tout le Pays des Cinq Vents. Elle dit tellement de gros mots, qu'on en a inventé, spécialement pour elle.

— Nous sommes perdus, dit naïvement Ludo.

— Oui, eh bien je n'en ai rien à citronner ! Ce n'est pas un refuge pour explorateurs ici. Je n'ai que faire des gens comme vous, qui cochonnent le nord comme des petits saligauds. Il n'y a pas d'or ici, alors déguerpissez, espèce de crevettes à roulettes !

Ludo et Barnabuk restent bouche bée devant cette mégère. Ils savent cependant qu'ils ne peuvent pas retourner en arrière.

— Mais nous ne sommes pas des chercheurs d'or, ose Barnabuk, nous sommes ici pour les baleines.

Il aurait mieux fait de se taire.

— Quoi ? Répète ! Espèce de crotte de nez du cosmos, hurle Adrienne en se saisissant d'un balai. Laisse-moi te dire que les chasseurs ne sont pas les bienvenus chez moi.

Elle essaye de frapper Barnabuk, mais celui-ci se baisse et elle heurte violemment Ludo, qui en perd son bonnet. Adrienne remarque immédiatement les cheveux rouges de Ludo, puis jette un regard furtif à Barnabuk, puis encore à

Ludo qui se relève difficilement. Elle semble confuse.

— Nom d'un bananier bigleux ! Nous ne sommes pas des chasseurs, dit Ludo en se frottant le crâne.

— Je sais, répond Adrienne, vous êtes ceux qui ont sauvé le jeune orque à Nifelbald. Je vous reconnais à vos cheveux.

— Par le saint rhododendron, comment ?

— Je vous ai déjà vu en rêve à travers ses yeux, répond Adrienne plus calme.

— En rêve ? s'étonne Barnabuk.

— Vous savez, les baleines rêvent. C'est d'ailleurs la chose la plus importante en ce monde. Certaines nuits, je ne sais comment, il m'arrive de partager leurs songes. J'ai rêvé que j'étais l'une d'elles et qu'un jeune homme aux cheveux rouges me soignait, accompagné de son ami extraterrestre.

— Nom d'une botte de persil mal ficelée ! Vous rêvez les rêves des baleines, dit Ludo fasciné.

— Oui, cela m'arrive, bien que ces temps-ci, ce sont plutôt des cauchemars. Le Sopholite d'Alba doit être menacé.

— Nous pensons qu'un danger guette le sanctuaire, dit Ludo, et que c'est pour cela que les baleines sont désorientées.

— Désorientées ? s'étonne Adrienne.

— Oui, par mes pétales ! Il y a des baleines qui s'échouent un peu partout au Pays des Cinq Vents.

— Évidemment, c'est logique. Si quelque chose menace leurs rêves ou les empêche de rêver, elles ne sauront plus où aller.

Ludo et Barnabuk restent perplexes. Ils ne comprennent pas où elle veut en venir, mais repensent à ce que leur a crié l'orque épaulard, dans ses moments de souffrance.

— Hum, je comprends, fait Adrienne, vous êtes des explorateurs du dimanche, des touristes. Vous n'avez aucune idée de ce qu'est le sanctuaire ni de ce à quoi sert le Sopholite, n'est-ce pas ?

Nos deux amis n'osent pas ouvrir la bouche.

— Alors écoutez bien, bande de tortues enrhumées. Je ne le répèterai pas deux fois. Le Sopholite d'Alba n'est pas un simple livre, comme le raconte la rumeur. Le sanctuaire est un endroit magique. Chaque fois que les baleines y passent, elles y laissent leurs plus beaux songes. Le Sopholite les fait rayonner dans tout le pays et c'est en suivant leurs rêves qu'elles retrouvent leur chemin.

— Je savais bien que ce bidule était inutile, dit Barnabuk en jetant la pantoufle à la poubelle.

— Si quelqu'un essaie d'empêcher les baleines de rêver ou leurs rêves de rayonner, alors elles vont se perdre et finir par s'échouer, mais elles ne seront que les premières victimes d'un terrible cataclysme.

Nos deux amis se regardent, les yeux écarquillés. Rappelez-vous, c'est exactement ce que Barnabuk a murmuré, lorsqu'il était inconscient.

— Que voulez-vous dire ? demande Ludo.

— Vous ne savez rien de rien, ma parole ! répond la bonne femme. J'imagine que vous ignorez ce qu'est le rêve d'Alba.

Nos deux amis font non de la tête.

— Vous êtes de vraies courgettes ! On l'appelle aussi « le rêve de la baleine de l'aube », celle qui fut la première de toutes. C'est un songe que les baleines font et refont depuis le début des temps et dans lequel réside l'équilibre de ce monde.

— Figuier de Barbarie ! s'exclame Ludo. Ce que vous êtes en train de dire, c'est que si les baleines cessent de rêver, alors le Pays des Cinq Vents tout entier va... disparaître.

— Ah tu vois, l'asticot, tu n'es pas si stupide !

— Nom d'une pâquerette qui prend le bus, mais alors, il faut continuer notre route et aller au sanctuaire pour voir ce qui empêche les baleines de rêver...

— ...ou le Sopholite de rayonner, ajoute Barnabuk.

— Je vois que vous avez compris, dit Adrienne. Encore faut-il pouvoir y aller.

— Savez-vous où il se trouve ? demande Ludo.

— Il n'est qu'à quelques pas d'ici, répond Adrienne, mais pour y accéder, il faut que vous y soyez à votre place.

— À notre place ? Sarriette des bois ! Je ne comprends pas.

— Je peux vous aider à aller au sanctuaire, mais je peux aussi vous envoyer à l'autre bout du pays.

Ludo et Barnabuk ne comprennent pas trop où Adrienne veut en venir et j'avoue que moi non plus, d'ailleurs.

— Voyez-vous, dit-elle, les machines qui sont ici ne servent pas vraiment à laver le linge.

— D'accord, répond Ludo, mais quel est le rapport avec le sanctuaire ? Où est-il ? S'il n'est qu'à quelques pas, nous devrions le voir, par mes glaïeuls !

— Laisse-moi finir, potiron flasque, et tu comprendras !

— Très bien, très bien.

— Ces machines sont des passages.
Elles peuvent vous emmener en quelques
instants et sans efforts à n'importe quel
endroit du pays, que ce soit au nord, au
sud, à l'est ou à l'ouest.

— Nom d'un œillet paralympique !
C'est formidable, s'exclame Ludo, exactement sur le même ton que lorsqu'il a vu
la pantoufle, chez Sigalas. Elles peuvent
donc nous emmener au sanctuaire ?

— Cela dépend, répond Adrienne,
car ces machines n'envoient pas les gens
là où ils veulent aller, mais plutôt à l'endroit de ce monde où ils doivent être, là
où ils ont leur vraie place.

— Qui peut dire où est sa véritable
place ? dit Barnabuk.

— Tu as raison, jeune extraterrestre. Ces machines vous emmèneront
en un instant au sanctuaire, à condition
que ce soit l'endroit où vous devez être.

— Mais, dit Ludo, si ma place est
ailleurs, je ne le sais pas, auprès de mes
parents à Châtaigne-Plage ou à Poireauville, au journal ?

— C'est bien là le choix crucial que vous avez à faire, dit Adrienne. Si vous êtes persuadés que c'est là-bas que vous devez être, allez-y sans crainte. Je dois cependant vous dire que moi-même, j'ai souvent essayé de m'y rendre, mais les machines ne m'y ont jamais envoyée.

— Il nous faut courir le risque, dit Ludo à Barnabuk. Soit tu es tombé sur mon toit par hasard et, par la grande glycine ! nous avons fait ce voyage pour rien, soit il y a une raison à tout cela et la machine ne peut nous envoyer qu'au sanctuaire. Nom d'un bonzaï disproportionné !

— Je suis d'accord, dit Barnabuk, mais comment un humain et un extraterrestre pourraient-ils avoir leur place dans un lieu sacré réservé aux baleines ?

— Par mes pétales ! répond Ludo, si leur mission est de le sauver, je crois qu'ils y ont tout à fait leur place...

Après quelques explications d'usage de la part d'Adrienne, nos deux amis entrent par le hublot dans l'une de ces énormes machines à laver, le long du mur indiquant le nord.

— Si nous avons fait fausse route et que nous n'arrivons pas là où nous voulons, j'espère que nous nous reverrons, dit Barnabuk.

— Nous allons au sanctuaire, répond Ludo, et nous y allons ensemble.

Adrienne appuie sur le bouton de la machine.

FIN DE LA PREMIÈRE PARTIE

Veuillez m'excuser, chers lecteurs, mais je viens de me rendre compte que j'ai omis de vous raconter une partie très importante de cette histoire.

Elle commence plusieurs jours avant que Barnabuk ne s'écrase sur le petit placard de Ludo.

DEUXIÈME PARTIE

MARIE MANDIBULE

6

Marie Mandibule n'a plus jamais observé la migration des baleines. Ce n'est plus pour elle qu'un enfantillage à oublier. Elle a quitté Châtaigne-Plage pour devenir une adulte sérieuse et elle a réussi. C'est d'ailleurs à Sérieuxville, la ville où tout le monde est sérieux, qu'elle vit désormais.

Vous trouvez que Sérieuxville n'est pas un nom très original pour désigner une bourgade où les gens sont toujours raisonnables et ennuyeux ? Eh bien sachez que c'est très représentatif de l'endroit, une ville où rien ne sort de l'ordinaire et où les excentriques sont toujours remis à leur place ou carrément chassés.

Marie Mandibule vit donc ici, dans cette cité des Plaines de l'Ouest, plus précisément dans le « quartier des boîtes ». C'est une partie de la ville où sont alignées des centaines de boîtes à chaussures géantes, qui servent d'habitations sérieuses, pour des gens rationnels. Ce sont d'ailleurs des logements très confortables, équipés d'un couvercle léger pour s'abriter de la pluie et d'une petite échelle pour entrer et sortir.

La boîte de Marie est propre et bien rangée, sans aucun élément superflu. Il faut dire que la jeune femme libellule est très ordonnée, responsable et, je dois le reconnaître, un peu ennuyeuse. D'ailleurs si j'avais le choix, je vous raconterais, dans cette deuxième partie, l'histoire d'une pirate ou d'une justicière. Malheureusement, je suis au regret de vous dire que c'est de Marie Mandibule qu'il va s'agir, une fille qui pense que jouer est une perte de temps. Espérons qu'elle changera un peu au cours de l'histoire et que nous ne nous ennuierons pas trop de nos deux joyeux loufoques.

Marie Mandibule a donc réussi dans la vie. Réussi à quoi ? Je dois avouer que je n'en ai aucune idée, mais comme tout le monde dans cette ville, elle se vante d'être un symbole de réussite. Il est nécessaire de préciser, en plus, que Marie est la plus jeune des citoyennes de Sérieuxville. Il n'y a pas d'enfants ici, ils sont bien trop turbulents et pensent toujours à s'amuser, ce qui exaspère les gens sérieux.

Ce soir, notre jeune femme libellule se dépêche pour rentrer chez elle, après une journée de travail sérieuse dans une compagnie raisonnable. Elle est un peu pressée de retourner à sa boîte à chaussures, car elle ne veut pas manquer son émission de nigauvision favorite : *Sérieux-Académie*.

En fait, ce n'est pas uniquement l'émission préférée de Marie, c'est celle de toute la ville. Si vous vous promeniez ce soir à Sérieuxville, vous ne verriez personne dans les rues. Chacun est chez soi, devant sa nigauvision.

Sérieux-Académie est une émission de nigaud-réalité dans laquelle des participants font des choses que, personnellement, je trouve fort ennuyeuses. Ils comptent de l'argent ou lisent le journal, en prenant soin de ne jamais regarder les bandes dessinées de la fin, sous peine d'être éliminés. Ils doivent rester sérieux et ne jamais s'amuser. La semaine dernière un candidat a été éliminé parce qu'il a mangé des jujubes au miel, ce qui, vous le savez, n'est vraiment pas sérieux. Ce soir, c'est la finale. Il ne reste que deux candidats et l'un d'eux sera déclaré grand gagnant. Autant dire que toute la ville est en haleine.

Marie arrive donc chez elle. Elle grimpe vite à l'échelle, soulève le grand couvercle de carton, entre et se précipite vers son appareil de nigauvision. Elle s'apprête à s'asseoir sur son agréable pouf, quand :

— Coquin de sort ! hurle-t-elle. Peste ! Enfer et damnation !

Elle vient, en fait, de remarquer la présence d'une toute petite araignée dans le coin de la pièce. Et quand je dis toute petite, c'est vraiment toute petite, la pauvre petite bête ne doit pas être plus grosse qu'un bouton de chemise.

Malgré le fait que Marie soit, d'une certaine façon elle-même un insecte, elle a horreur des araignées. Comme tous les gens sérieux de Sérieuxville, elle a pris la détestable habitude de systématiquement les asperger d'un pchitt empoisonné.

La voilà justement, vaporisateur à la main, qui se rue vers la petite araignée. La pauvre bête, comprenant ce qui est en train de se passer, se sauve aussi vite que ses petites pattes le lui permettent. Marie se lance à sa poursuite à travers la boîte à chaussure. Rapidement, la jeune femme libellule commence à être étourdie à force de courir ainsi. C'est alors que ce qui devait arriver, arrive ! Marie se prend les pieds dans le fil de sa nigauvision, elle tombe lourdement sur le sol, en emportant l'appareil avec elle. La petite araignée, quant à elle, court trouver refuge dans la commode où Marie range tous ses vêtements, bien repassés et pliés, cela va sans dire.

La jeune femme libellule se relève.

— Ouf, rien de cassé ! se dit-elle en se trompant.

Elle ramasse sa nigauvision et la replace sur son petit meuble. Elle appuie sur le bouton, mais rien ne se passe.

— Fichtre ! se dit-elle. Cette infâme aurait-elle eu raison de ma précieuse nigauvision ?

Elle secoue légèrement l'objet, le regarde sous toutes ses coutures et constate la triste situation, son appareil est en effet brisé !

Comme tous les gens sérieux de cette ville, Marie n'a aucun ami chez qui elle pourrait aller regarder l'émission. Alors comme il est trop tard pour réparer sa nigauvision, elle décide d'aller se coucher, déçue.

Le lendemain matin, Marie se lève avant le grand lampion. Elle est tout excitée et a grand-hâte de connaître le nom du gagnant de la veille. Cependant, ce ne sera pas facile de le savoir. Il faudra se renseigner subtilement, sans donner l'impression de s'y intéresser vraiment. Chez les Sérieux, il n'est pas bien vu de dire qu'on regarde la nigauvision et qu'on se passionne pour autre chose que pour le travail, et toutes les choses ennuyeuses auxquelles ils accordent beaucoup trop d'importance.

Tout le monde a regardé *Sérieux-Académie*, mais tout le monde va faire semblant que ce n'est pas intéressant. Décidément, les gens raisonnables sont bien compliqués. Ludo s'en arracherait les pétales de sur la tête.

Marie se prépare donc en vitesse. Elle s'habille avec élégance et sobriété. Aujourd'hui, elle portera ce superbe tailleur, qui laisse dépasser ses ailes et lui donne une allure éclatante.

Juste avant de partir, elle jette un œil au fameux médaillon que Ludo n'a pas accepté le jour où ils se sont quittés. Elle l'a gardé en souvenir, mais ne le porte jamais. Parfois, elle regrette d'avoir été aussi sérieuse et d'avoir renoncé à leur rêve impossible de trouver le sanctuaire des baleines. On peut renier son passé, mais pas oublier ce qu'on a vécu. D'ailleurs, Marie pense souvent à Ludo. Elle lit régulièrement ses articles, quand elle est capable de mettre la main sur un exemplaire de *La Feuille de Chou* de Poireauville.

Chaque fois, Marie se fait la même réflexion et se dit que la rubrique *Bizarre et Insolite* convient bien à son ancien ami qui, selon elle, n'a jamais grandi dans sa tête.

Ce qui est dommage, c'est qu'aujourd'hui, Marie est bien trop agitée par la *Sérieux-Académie*, pour jeter un œil au journal qui traîne sur sa table depuis la veille. Si je dis cela, c'est parce que dans cet exemplaire, la rubrique de Ludo est vraiment très sérieuse. Pas question de rire ni d'écrire des choses farfelues. En effet, c'est avant-hier que le pauvre Gary Bizbizz s'est fait gober par la grenouille géante. Ludo a donc écrit un article touchant sur son infortuné partenaire. Marie y aurait peut-être trouvé une preuve de la maturité — toute relative, j'en conviens — de son ancien ami. Malheureusement, elle sort de chez elle sans même déplier le journal. Elle ne s'est pas non plus rendu compte, comment l'aurait-elle pu, que dans la poche de son élégant tailleur, la petite araignée de la veille dort encore à poings fermés...

Dès qu'elle met le nez dehors, la jeune femme libellule a une impression bizarre. C'est difficile à décrire, mais elle a la sensation que quelque chose est différent ce matin. La ville est calme, très calme et il n'y a personne dans les rues.

Une petite rafale de vent fait claquer le drapeau étoilé des Plaines de l'Ouest, mais à part cela, tout est silencieux.

— Nous ne sommes pourtant point dimanche, parbleu, se dit Marie un peu inquiète. Les bonnes gens devraient être en route pour leur noble labeur.

Cet étrange silence lui donne une désagréable sensation de solitude. Cependant elle n'ose pas appeler ni demander s'il y a quelqu'un. Peut-être est-ce par peur d'avoir l'air ridicule si quelqu'un lui répondait ? Mais peut-être est-ce aussi parce que ce serait encore plus terrifiant si personne n'entendait son appel ?

Marie remarque alors quelque chose d'inhabituel, tous les couvercles sont demeurés ouverts et l'on n'a pas rangé les échelles. D'ordinaire, lorsqu'on sort d'une boîte à chaussures, on referme avec soin le couvercle qui lui sert de toit, puis on descend et l'on range l'échelle le long du mur de carton. Bien entendu, les gens sérieux de Sérieuxville n'oublient jamais ce genre de détails. Ils ne l'oublient jamais, sauf aujourd'hui.

Marie s'approche d'une des boîtes ouvertes.

— Y a-t-il quelqu'un ? ose-t-elle finalement murmurer.

Pas de réponse.

Même si ce n'est pas très raisonnable, Marie monte à l'échelle et regarde à l'intérieur de l'un des logis. Il n'y a personne, mais rien ne semble avoir été volé. En fait, seul un autre détail saute aux yeux de la jeune femme, le lit n'est pas fait. En temps normal, c'est une chose inconcevable pour les sérieux.

Marie visite quelques autres boîtes et elle y trouve toujours la même anomalie. C'est comme si les gens étaient partis en pleine nuit dans la précipitation.

— Il faut de ce pas alerter les gendarmes à moustaches, se dit-elle alors en se mettant à courir dans les rues toujours aussi désertes.

En ce qui concerne les forces de l'ordre, vous vous demandez peut-être pourquoi on les nomme ainsi. Eh bien, c'est parce que les gendarmes n'ont pour visage que leur gros nez et leurs longues moustaches, qui dépassent de leur képi. Ils ne sont pas très futés et ne songent qu'à « embarquer » les gens. Malheureusement, vous n'aurez pas l'occasion de le constater par vous-même, puisque lorsque Marie arrive à la gendarmerie-moustacherie, elle n'y trouve personne.

Les bureaux sont vides, les cellules vides elles aussi, ce qui est cependant normal, puisque aucun crime n'est jamais commis à Sérieuxville.

Il semble bien que Marie soit la dernière résidante de la ville. Pourquoi tout le monde est-il parti ? Pourquoi aussi vite ? Pourquoi n'a-t-elle pas été prévenue ?

— Ils ne peuvent point avoir été enlevés, se dit-elle. On n'enlève point toute une ville sans se faire remarquer.

C'est alors que la jeune femme voit de la fumée au loin. Cela vient de l'entrée de la ville. S'il y a un feu, il y a peut-être aussi la personne qui l'a allumé.

Marie se saisit alors d'une trottinette à mille pattes qui est justement garée devant l'une des boîtes vides. Ce n'est pas très sérieux de prendre ainsi quelque chose qui ne lui appartient pas, mais la situation l'exige.

La trottinette à mille pattes est un véhicule très amusant, voire insolite. Il est d'ailleurs surprenant d'en trouver une à Sérieuxville. Au premier coup d'œil, cela ressemble à une trottinette ordinaire, mais sans roues. Lorsque Marie tourne la poignée de l'accélérateur, un millier de petites pattes minuscules sortent de la planche de l'engin et se mettent à marcher très vite. Elles emportent la jeune femme libellule, un peu comme des fourmis qui volent un biscuit.

L'engin est drôlement rapide et Marie se surprend à trouver cela très amusant. En quelques minutes, elle se rend à l'entrée de la ville et constate que la fumée émane bel et bien d'une clairière à la lisière de la cité.

En s'approchant encore, Marie découvre plusieurs roulottes colorées disposées en cercle. Cela a tout l'air d'être le campement d'un cirque ambulant.

Bien évidemment, comme toutes les choses amusantes, les groupes de saltimbanques ne sont pas les bienvenus à Sérieuxville. Ces artistes sont sans doute en route vers une autre ville. Ils ont dû passer la nuit ici et ont peut-être vu quelque chose.

Marie continue d'avancer sur sa trottinette à mille pattes, heureuse de ne pas avoir à marcher sur ce sol boueux. Le ciel est gris. Les arbres n'ont plus de feuilles. Il fait froid et l'ambiance est inquiétante. La peinture des roulottes est craquelée et délavée. Tout cela donne un cirque un peu terne.

À mesure qu'elle approche, Marie commence à être nerveuse. Quel accueil lui sera-t-il réservé ? Après tout, si les

Sérieux n'aiment pas les saltimbanques, la réciproque est tout aussi vraie.

Dans une grande cage, deux girafes carnivores sont en train de se chamailler pour un morceau de viande. Marie a un haut-le-cœur à l'idée qu'on puisse manger autre chose que des bonbons sans sucre.

— Si les animaux sont là, cela est de bonne augure, se dit-elle cependant.

C'est alors que notre amie sursaute à la vue d'un clown qui se trouve là. Elle est partagée entre son soulagement de voir un être humain et son aversion pour ce genre d'hurluberlus.

Le comique est tranquillement en train de jongler avec trois hérissons armés jusqu'aux dents. C'est un numéro périlleux qu'il exécute avec une facilité déconcertante.

— Hum, hum, excusez-moi, dit Marie.

Le clown se retourne et arrête de jongler. Les hérissons tombent par terre, l'un après l'autre et s'en vont bouder dans un coin.

— Tiens, dit le saltimbanque, si ce n'est pas une jeune demoiselle de Sérieuxville. Vous venez rigoler un peu ?

— Parbleu, non ! répond sèchement Marie avant d'adoucir le ton.

Il est évident que ce clown ne l'aidera pas si elle n'est pas gentille avec lui. Elle poursuit donc d'une voix plus cordiale :

— Je me demandais, mon cher monsieur, si vous n'aviez point remarqué quelque chose d'anormal, la nuit dernière.

— La nuit dernière ? La nuit dernière, j'ai dormi à poings fermés. Pourquoi ? Pas vous ? Je pensais que les Sérieux se couchaient tôt et ne faisaient pas la fête. Vous n'avez pas fait la fête, tout de même ?

— Ciel ! Non ! Bien sûr que non, voyons ! Ce ne serait point sérieux.

— Moi, j'ai vu quelque chose cette nuit, dit alors une voix qui émane de derrière l'une des roulottes.

— Ah, mais oui, dit le clown, cet idiot d'Anatole a peut-être vu quelque chose. Il a passé la nuit à la belle étoile.

T'as pas eu trop froid, mon petit mollusque ?

— Non, ça va, dit la voix, mais cessez de me tutoyer et de m'appeler mon petit mollusque.

— À votre place, dit le clown à Marie, je ne l'écouterais pas trop, c'est un hurluberlu.

Ah, parce que vous, vous n'en êtes point un peut-être ? se dit la jeune femme en elle-même.

Marie se dirige alors vers la roulotte d'où émanait la voix. Elle passe derrière, mais n'y voit personne. Elle jette un œil autour d'elle…

— Je suis là, dit la voix qui semble provenir d'une espèce de gros chewing-gum, collé sur la porte de la caravane.

Marie s'approche et à travers la masse gluante, elle distingue la silhouette d'un homme assez petit. En levant la tête, elle croise son regard bleu. Le pauvre est englué de la tête au pied.

— Vous êtes celui que l'on nomme Anatole ?

— Anatole Calcium, pour vous servir.

— Je suis Marie Mandibule, enchantée (tu parles !). Que faites-vous dans cette fâcheuse position ?

— Je répétais mon nouveau numéro. Je devais me jeter dans un bassin plein de pingouinranhas — ce sont des animaux d'eau froide, très agressifs —, puis en sortir, passer dans les flammes et éteindre le feu en sautant dans une piscine de chewinggum.

— Ciel ! Quel numéro ridicule, se dit Marie. Et vous avez manqué votre coup ? demande-t-elle, pour faire semblant de s'intéresser au pauvre bougre.

— Non, j'ai très bien réussi, mais les clowns ont trouvé que ce serait amusant de me coller là pour la nuit.

— C'est fort drôle en effet, dit ironiquement Marie, mais revenons à ce qui m'amène. Vous avez vu quelque chose, Monsieur ?

— Si vous partez à leur recherche, je peux venir avec vous ?

— De qui, diable, parlez-vous ?

— De tous ces gens qui ont pris le train, tous ces gens sérieux.

— Quel train ?

— Vous savez, ma vie n'est pas facile ici. Pour mon malheur, j'ai la faculté de ne pas ressentir de douleur, alors ils me font faire des numéros dangereux et stupides.

— Dans quelle direction le train est-il parti ?

— Je n'ai pas toujours été un saltimbanque, je sais être sérieux.

— Fort bien, contez-moi tout et je vous décolle de là.

— Ce n'est pas une vie, mettre ma tête dans la gueule des girafes...

— Soit ! Je vous emmènerai avec moi, concède finalement Marie.

— Le train est arrivé dans la soirée, sur la voie qui passe derrière le petit bois.

— Balivernes, répond Marie, cette voie ferrée n'est plus utilisée depuis au moins dix ans.

— Oui, eh bien elle a repris du service hier. Des dizaines de miliciens blancs sont descendus du train.

— Des soldats de l'impératrice ?

— Exactement ! Ils ont débarqué du train un appareil très sophistiqué. D'ici, j'ai tout vu. Quelqu'un qui ne s'y connaît pas aurait sûrement cru qu'il s'agissait d'un grand cerf-volant, mais c'était en fait d'un puissant émetteur P-972 de marque Misméli, relié par un fil de cuivre à un amplificateur télégraphique au sol.

Pour un simple saltimbanque, il s'y connaît fichtrement, se dit Marie en elle-même en se demandant s'il n'invente pas tout cela.

— Et à quoi, diantre, peut servir tout ce matériel ? demande-t-elle pour le tester un peu.

— À émettre un signal électronigautique, cela me paraît évident.

— La nigauvision, se dit alors Marie, inquiète de voir que tout ceci a beaucoup de sens.

— Attendez, dit Anatole, le plus incroyable est à venir. Quelques minutes après qu'ils ont déployé leur engin, des centaines de Sérieux sont arrivés, en pyjamas. Ils avaient l'air hypnotisé et sont montés dans le train, en silence.

— La milice blanche aurait enlevé la population de Sérieuxville au complet ? Sottises, ça ne tient point debout !

— Je vous jure que c'est vrai, dit le pauvre Anatole du fond de son chewing-gum.

— Mais pourquoi, diable ?

— C'est ce que nous allons découvrir ensemble. Bon allez, décollez-moi maintenant, dit le saltimbanque.

7

Marie semble hésiter. Elle se trouve devant un choix épineux. Il est clair pour elle qu'il ne serait pas raisonnable de s'encombrer de cet hurluberlu. Cependant, elle lui a donné sa parole qu'elle le décollerait. Ne pas le faire, reviendrait à avoir menti, ce qui n'est vraiment pas sérieux, et tout à fait malhonnête selon moi. Il est vrai que Marie a toujours la mauvaise habitude de peser le pour et le contre avant d'agir. Bien souvent, elle passe tellement de temps à planifier les choses, qu'elle n'a pas le temps de les réaliser. Pour ma part, je crois qu'elle devrait laisser tomber ce qui est rationnel et raisonnable, puisqu'une ville tout entière qui disparaît, ça n'a rien de logique. D'ailleurs comptez sur moi pour qu'elle soit un peu plus spontanée à l'avenir...

— Fort bien, dit-elle, mais nous ferons cette recherche sérieusement.

— Bien sûr, tout ce que vous voudrez, dit Anatole, mais décollez-moi avant que les clowns ne reviennent.

Marie commence donc à tirer sur l'énorme morceau de chewing-gum dans lequel le saltimbanque est coincé. Elle y met tout son cœur et toutes ses forces. Elle s'époumone, tire, grimpe, se suspend même à la substance, mais rien ne semble fonctionner.

Le chewing-gum a déjà commencé à durcir et il y en a une telle quantité, que la mission s'avère difficile.

— À ce qu'il paraît, dit Anatole, pour décoller de la gomme, il faut frotter de la glace dessus.

— Vous êtes bien farfelu, monsieur, lui répond Marie. Avez-vous la moindre idée de la quantité de glace qu'il va falloir pour décoller l'énorme et dégoûtante substance dans laquelle vous êtes englué ?

— Eh bien, si on tient compte du fait que je suis actuellement dans 7,6 litres de gomme à mâcher, que la glace va fondre rapidement à cause de la chaleur due au frottement, je crois que nous aurons besoin de plus ou moins 10 kilogrammes de glace.

— Et où diable, vais-je trouver cela, mon cher monsieur je-sais-tout ?

— Je ne sais pas, il doit bien y avoir un marchand de glaces à Sérieuxville.

— Ciel ! Mais vous avez perdu la raison ? Les gens sérieux ne mangent point de crème glacée !

— Bon et bien il y a toujours l'enclos des pingouinranhas. Il doit bien y avoir une tonne de glace à l'intérieur…

— Vous êtes un fou, monsieur, c'est trop dangereux.

— Oh ! je vous comprends, dit Anatole, moi aussi, à votre place j'aurais… peur.

— Peur ? Mais point du tout ! Attendez-moi ici, vous allez voir si j'ai peur.

— Oh, mais je ne bouge pas.

Marie n'aime pas qu'on sous-entende qu'elle est peureuse. Toute petite déjà, elle était la première à relever les défis les plus terrifiants. Même en grandissant, elle a gardé cette petite pointe d'orgueil, qui la pousse parfois à faire des choses un peu folles pour prouver son courage. C'est une excellente nouvelle pour nous, car ce qu'elle s'apprête à faire n'est pas raisonnable du tout...

Marie remonte sur la trottinette à mille pattes et commence à faire le tour des roulottes du cirque. Elle passe devant chacune, en regardant furtivement qui en est l'occupant. Il semble qu'elle recherche quelque chose.

Clown triste ? Non !

Dompteur de girafe ? Non !

Trapéziste ? Aucun intérêt !

Homme fort ? Certainement pas !

Administration du cirque ? Parfait !

Oh non ! Et moi qui croyais que Marie nous réservait quelque chose d'inattendu. Il semble bien que son côté sérieux soit le plus fort, puisqu'elle arrête sa trottinette devant cette roulotte en particulier.

Elle y pénètre doucement, en marchant sur la pointe des pieds. C'est une sorte de bureau roulant, dans lequel les gens du cirque entassent toute la paperasse administrative qui ferait la joie des Sérieux, mais dont ils n'ont jamais envie de s'occuper. Résistant à la terrible envie de se plonger dans ces documents, Marie commence à fouiller la roulotte de fond en comble. Elle doit avoir une idée derrière la tête.

Elle réunit un petit morceau de carton, de la ficelle et un gros feutre. Si vous voulez mon avis, je ne trouve pas très sérieux de faire du bricolage pendant que le pauvre Anatole attend, englué à sa roulotte. Marie semble confectionner une sorte de pancarte qu'elle s'attache autour du cou. Elle écrit quelque chose sur le carton...

La jeune fille libellule ressort ensuite en trombe de la roulotte administrative et enfourche de nouveau sa trottinette en direction, cette fois, de l'immense réfrigérateur dans lequel logent les pingouinranhas.

Marie prend une grande respiration et entrouvre la porte. Un frisson de terreur la parcourt tandis que l'air froid de l'enclos lui chatouille le visage. Elle entre, toujours avec sa drôle de pancarte autour du cou.

Les pingouinranhas sont là, les dents coupantes comme des couteaux, mais ils sont, pour l'instant, endormis et inoffensifs. Marie avance avec précaution. Si l'un d'eux se réveille, il lui bondira dessus et n'en fera qu'une bouchée.

La jeune fille libellule repère alors, au fond de l'enclos, un bloc de glace qui semble être de la taille dont elle a besoin. Elle s'en approche avec prudence, sans toutefois remarquer que les dangereux volatiles ouvrent lentement les yeux et se préparent à attaquer...

Marie arrive au fond du réfrigérateur. Elle se penche vers le bloc de glace et le soulève avec difficulté. Elle se retourne ensuite et s'aperçoit, avec stupeur, que tous les pingouinranhas sont là, devant elle, les dents acérées et le regard féroce.

Il se passe alors quelque chose d'étonnant. Sans se démonter, Marie pose un instant le bloc de glace et leur brandit la pancarte qu'elle porte autour du cou. Il y est inscrit la mention, *100 % tofu*.

Une vague de dégoût parcourt alors le groupe de pingouinranhas. Certains ont des haut-le-cœur, d'autres peuvent difficilement contenir leur envie de vomir. Certains perdent même connaissance, mais plus aucun n'a dans l'idée de manger Marie.

Elle ramasse donc son bloc de glace et sort tranquillement de l'enclos en laissant aux volatiles la pancarte en souvenir.

Elle se rend jusqu'à la roulotte, où est toujours collé le pauvre Anatole Calcium, et se met à le frotter avec le lourd glaçon, non sans avoir adressé au saltimbanque un petit sourire satisfait.

Plus elle s'active, plus le chewing-gum se décolle, mais c'est loin d'être une tâche aisée, puisque la glace fond à vue d'œil. Au bout d'un moment, Anatole peut enfin se détacher. Il a encore le visage plein de gomme, mais il est capable de marcher.

— Venez, dit-il à Marie qui n'en peut plus d'avoir frotté, je connais un moyen de rattraper ce train.

Ils se dirigent vers le petit bois derrière lequel passe la voie ferrée. Marie remarque qu'Anatole a une démarche un peu particulière, mais elle attribue d'abord cela à la quantité de chewing-gum qui le recouvre encore.

Si votre gomme à mâcher mesurait un mètre vingt et qu'elle était capable de se promener, ne pensez-vous pas que sa démarche serait insolite ?

Les deux fuyards longent un instant la voie de chemin de fer, puis Anatole fait signe à Marie de le suivre dans les broussailles qui bordent le petit bois.

— Bien, je crois qu'ils ne nous ont pas suivis, dit-il.

— Cela m'étonnerait, répond Marie, ils doivent sans doute s'affairer à donner quelque réconfort à leurs pauvres pingouinranhas.

— Dites-moi, je vous trouve bien dégourdie pour une Sérieuse. En tout cas, je vous dois une fière chandelle, dit Anatole en tendant sa main à Marie.

La jeune libellule la lui serre et constate... qu'il n'a que quatre doigts ! Tout s'explique ensuite, quand il retire les morceaux de chewing-gum qui cachaient encore son visage.

Anatole Calcium est un extraterrestre.

— Parbleu ! Mais vous êtes, un, un...

— Un immigrant illégal ? Pas du tout, dit-il. J'ai ma carte de citoyenneté, je suis aussi Quintiventois que vous ! Allez ! Venez me donner un coup de main.

Il essaie de sortir quelque chose des buissons.

Encore une fois, je vous rappelle qu'au Pays des Cinq Vents, il n'est pas rare de rencontrer des extraterrestres. Ce n'est donc pas sur ce point que réside la surprise de Marie. C'est plutôt sur le fait qu'elle ne s'attendait pas à voir un être dont l'intelligence est si avancée travailler dans un simple cirque.

C'est bien la preuve que dans la vie il ne faut pas avoir de préjugés. Quant à moi, je suis un peu surpris de voir un autre extraterrestre arriver dans l'histoire. Attendez un instant, se pourrait-il que... Non ! Oubliez ça ! Je réfléchissais à haute voix.

Je disais donc qu'Anatole était en train de sortir quelque chose des broussailles.

— Quand j'ai vu, dit-il, que le cirque s'installait près d'une voie ferrée, j'ai fabriqué ce véhicule en vue d'une éventuelle évasion.

Marie et Anatole finissent par extirper des buissons un engin artisanal tout droit sorti de l'ingéniosité de l'extraterrestre.

— Voici mon monocycle ferroviaire, ajoute-t-il.

Il s'agit d'une plate-forme de bois, montée sur des roues de chemin de fer. Au centre du plateau, se trouve un monocycle de cirque. La chaîne, qui d'ordinaire sert à entraîner la roue, est reliée à l'un des essieux. Bref, il suffit de s'asseoir sur le monocycle et de pédaler pour avancer sur la voie ferrée.

— Allons, aidez-moi à le mettre sur la voie ! dit Anatole.

— Vous ne parlez point sérieusement, monsieur ? répond Marie. Cet engin ne sera jamais assez rapide pour rattraper un train parti il y a plusieurs heures déjà.

— Vous avez mieux à suggérer ?

— Ma foi, non en effet, mais...

— Alors, allons-y ! En partant ainsi, nous n'avons pas beaucoup de chances de le retrouver, mais en ne faisant rien, nous n'en avons aucune.

Marie acquiesce de la tête et saisit son côté de la plate-forme.

— Je vais commencer à pédaler, dit Anatole.

Il s'installe sur la selle du monocycle, tandis que la jeune femme libellule s'assied devant lui, juste sur le rebord de l'engin.

Après quelques difficiles coups de pédales, le monocycle ferroviaire commence à se mouvoir. Voilà donc une Sérieuse et un extraterrestre, l'une insecte et l'autre saltimbanque, qui partent à la recherche d'une ville toute entière disparue dans la nuit.

Au bout d'un certain temps, le monocycle ferroviaire a pris une vitesse de croisière acceptable. Anatole peut alors se contenter de petits coups de pédales bien placés pour entretenir son élan.

Heureusement, le vent d'ouest leur est favorable et nos amis filent au milieu des champs et des prairies.

— Puis-je vous poser une question, monsieur Calcium ? demande alors Marie un peu embarrassée.

— Je vous en prie, appelez-moi Anatole.

— Oui, euh, certes, Anatole, donc, je me demandais comment un être tel que vous, qui me semble si intelligent et sensé, avait pu atterrir dans un modeste cirque ?

— C'est très drôle ça, puisque moi aussi, je me demandais comment une fille qui a l'air aussi sympathique que vous, pouvait être aussi sérieuse.

— Mon bon monsieur, il y a des moments dans la vie où il faut cesser de s'amuser, de rêvasser et où il faut devenir un peu sérieux, répond Marie d'un ton sec.

— Bon, très bien, répond Anatole, et si je vous disais qu'en ce qui me concerne, c'est tout le contraire. J'étais diplomate sur ma planète. Cela signifie que je représentais ma planète de manière très sérieuse, auprès de gens très sérieux. J'ai passé plus de quinze ans à l'Académie des relations entre les mondes pour obtenir ce travail.

— Je trouve cela fort admirable, dit Marie.

— Oui, mais c'est aussi très ennuyeux de faire semblant qu'on est parfait et qu'on n'a aucun défaut. Un jour, j'en ai eu assez. J'ai eu envie de rêver et de m'amuser. Alors je me suis enfui de ma planète et je suis devenu artiste de cirque au Pays des Cinq Vents.

— Et cela vous a valu plusieurs séjours dans le chewing-gum, dit Marie d'un ton moqueur.

Anatole ne répond pas, car il vient d'apercevoir quelque chose, droit devant. Il pointe l'horizon de son doigt maigre et gris.

Au loin, on aperçoit un train. Un train qui semble s'être arrêté !

— Il est impossible que ce soit eux, dit Marie. Ils ont beaucoup trop d'avance.

— Sauf s'ils sont tombés en panne, répond Anatole.

— Voilà qui serait vraiment une chance inespérée !

— Une chance ? Eh bien, si on exclut le fait que nous n'avons aucun plan pour libérer ces sérieux et qu'ils sont gardés par des miliciens blancs armés jusqu'aux dents, alors oui, on peut considérer que c'est une chance.

— Je crois que nous devrions continuer à pied, dit Marie. Si nous pouvons voir ce train, c'est que nous sommes visibles, nous aussi. En avançant doucement dans les herbes hautes, nous serons plus discrets.

Anatole acquiesce de la tête, un peu triste de devoir abandonner si tôt son monocycle ferroviaire.

Les deux acolytes marchent courbés et rattrapent le train, qui n'a toujours pas redémarré.

— C'est bien celui-là, dit Anatole.

Le convoi n'est constitué que de wagons de marchandises, à l'exception du premier qui semble être une voiture plus luxueuse. Des gardes blancs, toujours armés de leurs puissants foliphones, sont postés le long du train. Trois ou quatre de leurs compagnons s'affairent à réparer la locomotive.

Marie distingue également la silhouette d'une femme portant un large chapeau, dans la première voiture. Elle boit une tasse de thé, imperturbable. Est-ce l'impératrice ? Peut-être…

— Si vous bougez d'un millimètre, je vous rends cinglés pour le reste de vos jours, dit alors une voix inquiétante, juste derrière eux. Du coin de l'œil, ils peuvent voir que c'est un milicien blanc qui pointe son foliphone sur eux.

— Avancez ! Et en silence !

Marie et Anatole se redressent et marchent alors dans l'herbe haute avec le garde qui les suit de près. Aucune fuite n'est envisageable.

— Bien joué lieutenant, dit un autre milicien blanc à celui qui escorte nos amis, nous ne les avions pas vus partir, ces deux-là.

— Partir, dit Anatole, je crois qu'il y a erreur. Nous ne sommes pas des passagers de ce train.

— Tais-toi, dit le milicien en lui administrant une fraction de seconde de bruit-qui-rend-fou.

Même si l'extraterrestre ne ressent aucune douleur physique, son cerveau, lui, semble avoir fait un tour sur lui-même, à l'intérieur de son crâne.

— Je suis cigogne qui danse la samba et qui joue du ukulélé, dit-il avant de retrouver suffisamment l'esprit pour comprendre qu'il vaut mieux faire ce que cette brute leur dit.

Nos amis arrivent alors devant la porte de l'un des wagons de marchandises. Le milicien saisit Marie et Anatole par le collet, les soulève sans la moindre difficulté et les jette à l'intérieur comme de vulgaires sacs à ordures.

La lourde porte se referme dans un effroyable fracas, puis c'est le silence. Dans la demi-obscurité, on distingue des silhouettes muettes. Personne ne semble oser parler. Si à chaque mot, la brute leur fait entendre le bruit-qui-rend-fou, on comprend qu'ils préfèrent se taire.

Après un certain temps, difficile à évaluer, le train redémarre lourdement. Il emmène avec lui Anatole Calcium, Marie Mandibule, tous les habitants de Sérieuxville ainsi qu'une petite araignée toujours endormie au fond d'une poche, vers une destination inconnue, mais assurément inquiétante.

8

Les trois heures de route qui suivent se déroulent dans le silence. Le train ne s'arrête pas. Ceux qui ont envie de faire pipi doivent se retenir ou se soulager dans leur culotte. Ah ! Laissez-moi vous dire que les miliciens blancs ne sont pas des tendres. C'est cela, une dictature, les militaires qui servent le pouvoir ne vous demandent pas votre avis et règlent les problèmes à coups de pieds au derrière.

L'un des soldats passe parmi les prisonniers pour distribuer ce qui fera office de repas. Il s'agit d'une maigre ration de vieux bonbons acidulés à la menthe.

Vous savez, comme ceux qu'on donne parfois dans les restaurants après que les clients ont payé leur addition. Ces bonbons sont si mauvais, que les gens s'en vont dès qu'ils en ont un dans la bouche pour pouvoir aller le recracher dehors. C'est une stratégie des restaurateurs, visant à faire partir les clients et pouvoir rentrer chez eux plus rapidement.

Par une petite fente dans la cloison du wagon, Anatole essaie de voir où le train les emmène.

— Il semble bien que nous nous dirigions vers le nord, murmure-t-il à Marie.

— Que voulez-vous dire ? Vers les Terres du Nord ? Sottises !

— Il fait de plus en plus froid, vous l'avez sans doute remarqué et pour ma part, il me semble avoir pu distinguer de grandes étendues blanches.

— C'est ce que je disais, répond discrètement Marie, c'est impossible.

— Pourquoi est-ce si dur à croire ?

— Parce que les Terres du Nord sont inhabitées, cher Anatole, et qu'aucune voie ferrée ne les traverse.

— Du moins, aucune à notre connaissance, suggère l'extraterrestre qui se tait aussitôt, car le milicien blanc chargé de surveiller le wagon, s'approche d'eux, son foliphone à la main.

Les deux heures qui suivent ne font rien d'autre que confirmer l'hypothèse d'Anatole puisque le froid dans le wagon se fait de plus en plus glacial. Les pauvres Sérieux sont frigorifiés et ont le regard de plus en plus vide à mesure que le train avance. Il est vrai que, dans une perspective rationnelle et raisonnable, il n'y a pas beaucoup d'espoir de se sauver d'ici. De toute façon, si par chance quelqu'un réussissait à s'évader, il mourrait de froid et de faim dans le grand désert de glace.

Tout à coup, l'obscurité se fait comme si le train venait de pénétrer dans un tunnel.

Qu'est-ce donc que cela ? se demande alors Marie qui, laissez-moi vous le dire, n'est pas au bout de ses surprises.

Après de longues minutes, le convoi ralentit et s'arrête finalement dans un endroit fortement éclairé par une lumière artificielle.

— À partir de maintenant, je vous conseille de faire ce que l'on vous dit, grogne le milicien blanc à la bande de Sérieux. Le premier qui fait un faux pas va goûter à la douce mélodie du bruit-qui-rend-fou !

À ces mots, un frisson parcourt le wagon et on ne saurait dire s'il est causé par le froid ou la terreur...

La porte s'ouvre enfin. Marie et Anatole n'en croient pas leurs yeux. Une immense voûte givrée les surplombe et ils ont devant eux une véritable petite ville creusée sous la glace. Des dizaines de projecteurs très puissants remplacent la lumière du grand lampion et font scintiller de petites gouttelettes d'eau qui ruissellent doucement sur la glace.

En contrebas, nos amis peuvent apercevoir de petites cabanes bien alignées, comme les boîtes à chaussures de Sérieuxville.

Au bout de ce village sous la glace, se trouve une sorte de rampe, qui semble remonter à la surface. À l'extrémité de celle-ci se dresse une immense porte de hangar en acier trempé.

— Bien, voici donc les gens de Sérieuxville, dit une voix aigre et rocailleuse.

Un gros monsieur avec une petite moustache, vêtu d'un costume impeccable, s'avance vers le groupe.

Du coin de l'œil, Marie distingue la silhouette de la femme qui buvait du thé. Elle est escortée par deux miliciens blancs. Tous trois gravissent un escalier qui remonte près de la surface et semble mener à une sorte d'appartement creusé dans la glace, qui surplombe le village.

Le gros monsieur poursuit son discours :

— Je suis le contremaître Gordon, dit-il, et c'est moi qui dirige cette mine.

— Une mine ? murmure Anatole avant de se prendre une petite radiation de bruit-qui-rend-fou de la part du milicien blanc. Il en sera quitte pour se curer les narines avec son petit orteil, pendant les deux minutes suivantes.

— Vous avez été choisis, poursuit le contremaître, pour accomplir quelque chose de grand pour votre pays. Ce ne sera pas facile et cela demandera de la discipline, mais je sais qu'ensemble nous réussirons. Maintenant, suivez-moi !

Marie, Anatole — qui marche à cloche-pied, puisqu'il n'a pas fini de se nettoyer le nez — ainsi que tous les Sérieux, se mettent en rang et suivent sagement ce contremaître bedonnant. Personne ne parle, personne ne se rebelle ni ne pose de questions, à part bien sûr nos deux héros, enfin, surtout Marie pour le moment, qui se demandent bien ce qui se trame ici.

Le groupe est maintenant au centre du village. Des travailleurs s'affairent autour d'eux. Certains conduisent de drôles de petits camions, avec des che-nilles à l'arrière et des skis à l'avant. Dans leurs bennes, scintille quelque chose de brillant. Des diamants ? Pas tout à fait...

— Mettez-vous en ligne, dit alors un milicien blanc.

Tout le monde s'exécute.

Le contremaître Gordon s'apprête à prendre la parole. Il se tient devant un gros cube, qui fait à peu près la moitié de sa taille et qui est recouvert d'une toile de jute, d'un sac à patates, si vous préférez.

— Voici la raison de votre présence ici.

Il soulève le grand drap sale et révèle aux Sérieux l'une des plus belles choses que Marie et Anatole aient jamais vues de toute leur vie.

Il s'agit d'un cube de cristal aux reflets multicolores, un peu comme la nacre que l'on trouve parfois à l'intérieur des coquillages. Les reflets de ce cristal ne sont cependant pas droits et rectilignes. Ils décrivent plutôt des formes et des silhouettes. C'est un peu comme si des images en mouvement étaient emprisonnées dans la matière. Il est bien difficile de distinguer ce qu'elles représentent, mais leur scintillement constitue déjà un magnifique spectacle.

— Bien, dit le contremaître, chacun de vous va venir, un par un, devant ce cube. Avec cette pioche, vous essaierez d'en casser un petit morceau.

— Ah ! Ha ! dit Anatole à Marie, vous allez voir, ma chère, de quoi sont faits ces bras de saltimbanque.

Vous devinez ce qui lui arrive au moment où il termine cette phrase... Une douce mélodie à ses oreilles, bien sûr ! Et dire qu'il venait juste de se remettre de la dernière salve.

Vous savez, même si on ne ressent pas la douleur physique, la torture psychologique que représente le bruit-qui-rend-fou, n'est agréable pour personne. Anatole choisit donc de se taire encore une fois. De toute façon, il n'a pas vraiment le choix, puisqu'il est en train de se prendre pour une clé à molette. Il est donc étendu par terre, raide comme un piquet et il dévisse avec sa tête un boulon imaginaire.

Les Sérieux se succèdent donc devant l'étrange cristal. Tous, sans exception, brandissent la pioche et cassent un petit morceau du cube.

Marie est perplexe. Pourquoi leur fait-on faire cet exercice si tout le monde réussit ? Et pourquoi les miliciens blancs ont-ils enlevé les gens de Sérieuxville, pour travailler dans une mine ?

Même si certains sont bien bâtis, la plupart d'entre eux sont petits et frêles. Ils n'ont certainement pas la carrure habituelle des mineurs.

C'est maintenant au tour d'Anatole de s'avancer, encore un peu étourdi de son expérience d'outil. Il attrape la pioche, la fait passer au-dessus de sa tête, assène un grand coup et... rien ne se passe ! Pas une égratignure n'a été faite sur le cristal.

Le contremaître Gordon le regarde d'un drôle d'air. Vexé, l'extraterrestre fait une autre tentative, mais rien ne casse cette fois-là non plus.

— Inapte ! crie le contremaître, et les miliciens blancs emmènent Anatole à l'écart du groupe.

C'est au tour de Marie. Elle s'avance vers le cube, la tête pleine de questions.

Pourquoi Anatole n'a-t-il pas réussi ? Est-ce parce qu'il est un extraterrestre ? Est-ce à cause du bruit-qui-rend-fou ? De toute évidence, cela ne semble pas être une question de force.

Elle prend la pioche que lui tend le contremaître et tente sa chance. Rien ne se passe pour elle non plus. Elle recommence une autre fois : toujours rien !

— Eh bien, deux de suite. Inapte ! dit le gros bonhomme.

Marie est également emmenée à l'écart. Le reste des Sérieux se succède à la pioche et personne d'autre ne sera déclaré inapte.

— Lieutenant, occupez-vous de ces deux-là ! dit monsieur Gordon au garde qui se tient juste derrière Marie et Anatole et qui semble bien être celui qui n'arrête pas de *foliphoner* l'extraterrestre depuis le début.

— Seulement deux, dit le lieutenant, c'est une belle réussite.

— Je vous avais bien dit que Sérieuxville serait un véritable vivier de bons petits mineurs, répond le contremaître en ricanant.

— Allez, venez avec moi ! dit brutalement le milicien blanc à nos deux pauvres inaptes.

Marie et Anatole suivent le soldat en direction d'une autre partie de la voûte. Les Sérieux, eux, sont envoyés dans les petites cabanes bien alignées.

Nos deux amis marchent lentement sur la glace, en se demandant quel sort leur sera réservé.

— Si vous devez nous rendre fous, dit Anatole, faites-le tout de suite et qu'on en finisse.

— Vous rendre fous ? dit le milicien en se mettant à rire. Pourquoi voudrions-nous vous rendre fous ? Vous nous serez bien plus utiles avec toute votre tête !

Il cesse alors brusquement de rire et saisit l'extraterrestre par le collet. Le pauvre Anatole ne touche plus le sol et Marie ne peut rien faire pour lui venir en aide.

— Mais si vous vous avisez de désobéir ou de faire les malins, je m'occuperai personnellement de votre cas.

Il lance le pauvre extraterrestre qui tombe sur le dos, fait un roulé-boulé (tête dans le derrière) et se retrouve plusieurs mètres en contrebas. Marie le rejoint en toute hâte pour s'assurer qu'il n'est pas blessé. Évidemment, Anatole n'a rien, mais il est un peu sonné. Le milicien blanc arrive à leur hauteur en ricanant de nouveau.

— Voilà, dit-il, c'est là que ça va se passer pour vous.

Nos deux amis découvrent un peu plus bas encore un autre village légèrement différent de celui des Sérieux. Il est beaucoup plus modeste. Les cabanes y sont faites de bric et de broc, avec des matériaux de fortune comme de la tôle ou des bidons d'essence. Des feux ont été allumés çà et là et des ouvriers s'y réchauffent. Au centre de tout cela, une grange semble servir de salle commune. Aux abords de ce deuxième village sont garés tous les petits camions qu'Anatole avait remarqués plus tôt. Il y a également d'autres machines plus impressionnantes. Certaines ressemblent à de l'armement : des canons, des catapultes. Les autres ont plutôt l'air d'être des outils de forages, des machines pour creuser le sol.

— Je vais vous confier à quelqu'un qui va vous expliquer tout ce que vous aurez à faire, dit le garde blanc.

Durant leur brève descente vers ce village pour les inaptes, Marie et Anatole sont un peu inquiets. Qui sera cette fameuse personne qui va s'occuper d'eux ? Sera-t-elle, elle aussi, une adepte du bruit-qui-rend-fou ?

— Traoré ! crie alors le soldat.

Les pires craintes de nos deux amis semblent se confirmer quand ils voient arriver un homme à la peau noire, bâti comme deux armoires. Il a le crane rasé et ses mains doivent mesurer deux fois la taille de la tête d'Anatole. Quant à Marie, c'est bien simple, il pourrait la saisir par la taille entre son pouce et son index.

— Explique à ces deux imbéciles le travail des inaptes ! dit le milicien avant de s'en aller.

— Par ici, dit le mastodonte.

Marie et Anatole obéissent en silence, mais échangent des regards inquiets.

Ils marchent en direction de la grange, au centre du village des inaptes. Soudain, le grand gaillard se retourne, faisant sursauter nos amis.

— Au fait, ze m'appelle Basile, Basile Traoré, dit-il en leur tendant la main.

— Enchantée de vous connaître, gentilhomme, je suis Marie Mandibule et voici Anatole Calcium.

— Ah pas de vous ! Ici on se tutoie. Nous sommes dans la même galère, alors pas de sissis.

— Heu, certes, certes, comme il vous plaira, heu, te plaira, dit Marie qui n'est pas vraiment habituée à cela, mais qui est rassurée de voir que ce Basile n'est pas une brute. Il faut dire que son regard doux et son petit défaut d'élocution lui donnent un air sympathique qui tranche avec son imposante carrure.

— Allons d'abord sersser vos uniformes, dit-il.

Tous trois entrent dans la grange
qui n'est pas une salle commune comme
on aurait pu le croire. C'est plutôt une
immense remise de pièces détachées,
d'outils et de trucs bidules dont je n'ai
aucune idée de l'utilité.

Il y a aussi un secteur « blanchisserie ». Dans une immense cuve, chauffée
au feu de bois, deux jeunes femmes net-
toient des centaines de combinaisons
blanches qui ressemblent un peu à celles
que portent parfois les peintres en bâtiment, dans notre monde. Les blanchis-
seuses remuent leur lessive comme on
brasse une soupe.

Basile s'approche d'une pile de
combinaisons propres. Il se tourne vers
l'une des deux jeunes femmes qui, d'un
hochement de tête, l'autorise à se servir.
Il toise alors Marie des pieds à la tête,
fait de même avec Anatole, puis il leur
choisit une combinaison chacun. Pour la
jeune femme, ce sera évidemment la

taille libellule, pour l'extraterrestre le format nabot.

— Vous mettrez ça demain, leur dit Basile. Bien, ze vais vous faire visiter. Ici nous sommes dans le hangar à fournitures. Il y a tout ce dont nous avons besoin pour travailler.

Si vous êtes ici, poursuit-il, c'est que vous êtes inaptes à casser le cristal, mais ça ne veut pas dire que vous n'allez rien faire. Ici nous nous occupons de deux soses : les fuites et la massinerie.

— Comme ce grand truc ? demande Anatole.

L'extraterrestre fait allusion à la plus grande des machines qui sont entreposées à l'extérieur du village. Imaginez, un de ces vieux tracteurs qu'on voit encore sur certaines fermes, mais mesurant au moins six mètres de haut. Il est équipé de deux gros rouleaux munis de pics d'acier, qui font penser à une mâchoire prête à tout grignoter.

— Non, répond Basile, en fait cette foreuse n'est plus en activité. Elle nous a servi à creuser cette voûte sous la glace.

C'est un des enzins les plus puissants zamais fabriqués, mais il ne serait d'aucune utilité sur le cristal.

— Comment donc ? demande Marie.

— Eh bien, c'est difficile à dire. Vous savez, ze fais partie de la première équipe de mineurs qui a été envoyée ici. Ze travaillais à la mine de Saskiard, plus au sud. Un zour, on nous a dit que la mine avait été rassetée et que nous devions déménazer avec tout le matériel Alors nous sommes venus ici, avec nos enzins. Le mien était un canon très puissant. Vous ne pouvez pas le voir, il est à l'intérieur de la mine, mais il ne sert plus à rien lui non plus. Mon travail consistait à lancer de petites bombes qui fissuraient la paroi afin de créer des brèsses pour la foreuse.

Tant et aussi longtemps que nous avons creusé la glace, tout allait bien. Nous avons donc bâti cette voûte, le tunnel pour le train et tout ce que vous avez pu voir ici. Mais quand le temps est venu de commencer à casser le cristal, rien n'a fonctionné. Même nos massines les plus puissantes n'en venaient pas à bout. Et puis un zour, ils ont commencé à amener par train, des zens qui avaient tous l'air très ordinaire. Pour eux, c'était un zeu d'enfant. Avec de simples piosses, ils arrivaient à casser le cristal. Évidemment, ils sont beaucoup plus nombreux que nous. Parmi les convois qui arrivent, il y a de moins en moins d'inaptes. Par contre, nos tâsses ne diminuent pas, puisque nous faisons presque tout, sauf casser le cristal. Comme ze vous l'ai dit, cela consiste surtout à faire le transport et l'éponzeaze.

— Le quoi ? s'inquiète Marie qui, malgré le défaut d'élocution de Basile, a très bien compris qu'il s'agissait d'épongeage.

— Oui, ça aussi, c'est étranze. Quand ils ont commencé à creuser dans le cristal, la glace s'est mise à fondre et cela a causé des infiltrations d'eau.

— Mais comment la glace peut-elle fondre par ce froid ? demande Anatole

— C'est zustement cela qui est étranze...

— Alors donc, nous allons éponger de l'eau ? demande Marie qui n'a vraiment aucune envie de le faire.

— Pas demain en tout cas, répond Basile. Ze vais avoir besoin de vous pour le transport. Votre travail consistera à conduire les tractossenilles, à les sarzer de cristal et à remplir les wagons du train.

— Et où, diable, ce cristal part-il ? demande Marie.

— Ça fait partie des soses qu'il vaut mieux ne pas demander.

— C'est pour le compte de l'impératrice, c'est ça ?

Un milicien blanc s'approche, attiré par la conversation.

— Écoutez, dit rapidement Basile, ici comme ailleurs dans le pays, il ne fait pas bon se mêler des affaires de l'impératrice. Alors tenez-vous tranquilles et ne posez pas de questions.

— Un problème, Traoré ? demande le soldat.

— Non, tout va bien lieutenant, ze leur explique leurs tâsses.

— Bien, fait le garde avant de s'éloigner.

— Ma parole, ce sont tous des lieutenants ! se dit Anatole.

— Allez ! Il est l'heure d'aller vous cousser. Ze vais vous mettre dans la même cabane, dit Basile en désignant l'une des constructions faites de bric et de broc. Demain, vous passerez la zournée avec moi et ze vous montrerai ce qu'il faut faire.

Cette nuit-là, malgré le froid et le fait qu'il faille dormir par terre, Anatole ronfle comme un gros ours. Marie, quant à elle, ressasse dans sa tête les mêmes questions : Qu'est-ce qui différencie tant les inaptes des autres ? Pourquoi sont-ils là et à quoi sert ce cristal qu'ils extraient ?

9

Le lendemain matin, une sirène stridente retentit sous la voûte de glace. Elle est assez puissante pour réveiller les deux villages.

Marie et Anatole enfilent leurs combinaisons blanches et remarquent que sur la poitrine sont inscrits les mots Village Inaptes / Bortuz.

— Que, diantre, signifient ces termes, demande Marie à Basile lorsqu'ils se retrouvent devant la grange.

— Ce sont les secteurs où nous sommes autorisés à aller.

— Village Inaptes, c'est facile à comprendre, dit Anatole, mais Bortuz qu'est-ce que ça veut dire ?

— La mine est divisée en cinq secteurs. Ils portent sacun le nom du contremaître qui en est responsable. Il y a Gordon, que vous connaissez, Bortuz, Périgo, Barnabuk et Damic. Le contre-maître Bortuz n'est pas le plus désagréable. Ze crois que ze lui fais peur.

— Ah bon ? s'étonne ironiquement Anatole.

— Quoi qu'il en soit, poursuit Basile, ne vous avisez zamais d'aller dans un secteur où vous n'êtes pas autorisés à circuler. Les miliciens blancs n'hésiteraient pas une seconde…

Une deuxième sirène, dont le son est légèrement différent de la première, se fait alors entendre.

— Ils vont ouvrir la porte, dit Basile. Pour auzourd'hui, vous monterez dans le même tractossenille que moi. Comme ça, vous m'aiderez à pédaler.

— À pédaler ? dit Anatole. Je connais ce modèle de véhicule, d'habitude ils sont équipés de moteurs.

— Tu as tout à fait raison, mais nous les avons enlevés et nous avons installé des pédales.

— Mais pourquoi ?

— Tu vas te rendre compte que la mine n'est pas un endroit comme les autres. Les batteries des véhicules s'y déssarzent presque instantanément et nos caméléons télépathes y sont devenus fous...

— Ciel, comme c'est étrange ! murmure Marie.

— Allez ! Montez ! Il faut y aller.

Basile, Marie et Anatole se pressent dans la petite cabine. Le tractochenille est effectivement muni de pédales. Étant plus léger sans son moteur, le véhicule se manœuvre avec relativement peu d'efforts.

— C'est plus facile que sur le monocycle ferroviaire, dit Anatole.

— Le quoi ? fait Basile.

— Non, rien ! Ce serait long à t'expliquer.

— En tout cas, ne vous y trompez pas. Quand la benne sera pleine de cristal, ce sera beaucoup plus dur de le faire avancer.

Le véhicule arrive maintenant devant la grande porte de métal. Il y a, d'un côté, les inaptes dans leurs tracto-chenilles et de l'autre, les Sérieux toujours aussi moroses et imperturbables.

— Vous aviez raison, Basile, dit Marie. Ils sont fichtrement plus nombreux que nous.

— Surtout avec la fuite qui a été découverte ce matin, la moitié des inaptes est allée éponzer.

Dans un grincement infernal, la lourde porte commence à s'ouvrir.

— Très bien, ajoute Basile. Vous faites ce que ze vous dis et vous ne regardez pas au ciel !

— Pourquoi ? demande Anatole.

— Parce que ce que vous pourriez y voir... vous perturberait.

La porte est à présent ouverte. Les Sérieux, équipés de leurs pioches, se séparent en cinq groupes, qui s'en vont chacun dans des directions différentes. C'est ensuite le tour des tractochenilles.

Après quelques coups de pédales seulement, le véhicule de nos amis pénètre sur le site de la mine. C'est un spectacle éblouissant. Il y a du cristal partout. Des reflets colorés et animés, resplendissent à perte de vue.

Marie, qui regarde le sol comme Basile l'a demandé, contemple cette incroyable matière dans laquelle se meuvent des silhouettes étranges aux couleurs fascinantes. Il y en a tellement qu'il est presque impossible d'en suivre une du regard ou de déterminer avec certitude ce qu'elle représente.

On croit reconnaître un poisson, un paysage, les reflets d'un lac paisible, puis on ne sait plus trop. On ne se souvient plus de ce qu'on a cru voir, mais on en garde une impression de sérénité. Regarder ce cristal procure des sensations très agréables...

Tandis que le tractochenille se dirige vers le secteur Bortuz, Marie se rend compte de l'ampleur de la mine. L'immense morceau de cristal a été creusé de manière méthodique, secteur après secteur. Une sorte de route descend en colimaçon, dans les entrailles de la terre.

— Voilà ! On y est, dit Basile, et rappelez-vous, ne regardez pas ce qui se passe en haut.

Une bande de Sérieux commence à grignoter la mystérieuse roche. Basile, Anatole et Marie ramassent les petits morceaux de cristal que ces derniers laissent derrière eux et les chargent dans la benne du tractochenille.

C'est la première fois que nos amis touchent cette étrange matière à mains nues. C'est une sensation troublante. Malgré la température glaciale, le cristal n'est pas froid. Il est lisse, doux et agréable au toucher. Marie prend une seconde pour regarder l'image emprisonnée dans l'un des morceaux. Elle n'arrive pas à reconnaître quoi que ce soit de précis, mais elle ressent une formidable impression d'harmonie et de paix.

— Oh ! toi ! la nouvelle ! lui dit alors un milicien blanc, tu te dépêches ! Tu n'es pas ici pour regarder ce qu'il y a là-dedans.

Marie dépose donc le bloc dans la benne et se remet au travail.

C'est alors qu'un effroyable hurlement d'animal retentit au-dessus de leur tête. Il provient de tout en haut de la mine. Marie n'ose pas regarder, mais elle a reconnu ce cri. Il lui rappelle un passé qu'elle croyait avoir effacé de son cœur.

Anatole, qui a levé la tête, a le regard pétrifié d'horreur et de dégoût. Le milicien blanc, qui le surveille, lui envoie une bonne salve de bruit-qui-rend-fou.

— On ne regarde pas en haut, dit le soldat en colère.

L'extraterrestre passe quelques minutes à discuter avec la portière du tractochenille, puis il revient à lui et s'approche de Basile.

— Qu'est ce que c'est que cet endroit ? murmure-t-il avec difficulté.

— Ze t'avais dit de ne pas regarder, lui répond sèchement Basile qui a remarqué que le milicien les surveillait encore.

Un autre cri horrible déchire le ciel. Marie ne regarde toujours pas, mais elle se rend peu à peu à une évidence qui lui avait toujours paru impossible. Elle sait ce qu'est cet endroit et puisqu'il existe vraiment, il n'est plus nécessaire de demeurer sérieuse...

Le garde s'est éloigné. Elle lève les yeux au ciel.

À force de creuser le cristal, les Sérieux ont constitué un véritable cratère. Il est entièrement recouvert par une énorme grille en forme de dôme. La mine est pour ainsi dire une gigantesque cage.

Au-dessus du cratère, de l'autre côté des barreaux de métal, volent en cercle des milliers de baleines. Elles tournoient autour de la mine, comme des rapaces prêts à fondre sur leur proie. Le ciel blanc est rempli de ces cétacés volants qui forment une ronde inquiétante et macabre.

Tout à coup, un gros rorqual mâle — Marie sait encore les reconnaître — descend en piqué, droit vers l'épaisse grille. À cette vitesse, il ne peut que s'y écraser, mais il n'en aura même pas l'occasion. Juste avant que l'impact n'ait lieu, un gigantesque harpon le foudroie. L'animal hurle de douleur.

Ce sont des hommes de la milice, placés sur les rebords du cratère qui viennent de l'abattre. La force du harpon entraîne la pauvre baleine à l'extérieur de la mine et son cri s'évapore pour toujours...

Marie retourne à son travail, chamboulée par toute cette violence, mais aussi par une terrible prise de conscience. Cet endroit ne peut être que le sanctuaire secret des baleines volantes, un lieu magique, auquel elle a cru, puis qu'elle a renié pour devenir Sérieuse. Marie comprend l'ampleur de son erreur et plus rien ne sera jamais comme avant.

Elle ne parlera pas de toute la journée, tandis que les pauvres baleines continueront de tomber.

10

Dans la soirée, Basile rejoint ses deux nouveaux protégés autour de l'un des feux de camps, dans le village des inaptes. Ils se réchauffent en compagnie d'autres travailleurs. Ceux qui ne peuvent pas briser le cristal ont une solidarité entre eux qui n'existe sûrement pas du côté des Sérieux.

— Réssauffez-vous bien, dit le colosse au petit groupe. Z'ai entendu dire qu'il y avait des fuites du côté du villaze des mineurs. Notre zournée n'est pas finie.

Une rumeur de désapprobation circule autour du feu, car la journée a été difficile. Certains l'ont passée à éponger une eau glacée, qui semblait ne jamais vouloir s'arrêter de couler. Les autres, moins nombreux à la mine, ont porté davantage de cristal.

Marie, quant à elle, ne réagit pas à cette annonce de travail supplémentaire Peu à peu, elle est en train de changer sa manière d'être et de penser.

— Que se passe-t-il, Marie ? demande Anatole. Ce sont les baleines, n'est-ce pas ?

— Ze vous avais dit de ne pas regarder, précise Basile. Ce sont des soucis inutiles. Ils les tueront, que nous le voulions ou non.

— Ce n'est point seulement cela, murmure Marie. Nous sommes dans le sanctuaire des baleines, n'est-ce pas, Basile ?

— Z'ai eu de la difficulté à le croire au début, mais c'est une évidence.

— Un sanctuaire ? s'étonne Anatole.

— Quand j'étais petite, dit Marie, les adultes nous racontaient qu'il existait au-delà des Terres du Nord un sanctuaire pour les baleines volantes. Un lieu magique où elles naissaient et mouraient.

— C'est une belle légende, dit Anatole.

— Ce n'en est point une, dit Marie, puisque ce sanctuaire existe et que nous y sommes.

— Justement, un peu de magie, ça rend la vie plus belle. Pourquoi cela te perturbe-t-il autant ?

— Enfants, poursuit Marie, mon meilleur ami et moi, croyions tellement à cette légende que nous avions fait le pacte de partir un jour à la recherche de ce fameux sanctuaire.

— Tous les enfants s'inventent ce zenre d'histoire, dit Basile.

— Certes, mais plusieurs années plus tard, les mêmes adultes, qui autrefois nous contaient la belle légende, ne l'entendaient plus de cette oreille. Ils m'ont sommée de cesser de croire à ces sornettes, m'ont dit qu'il fallait devenir sérieuse, qu'il était temps de grandir. Je l'ai fait, messieurs, et j'ai perdu mon meilleur ami...

Le silence se fait. Basile l'ancien mineur et Anatole l'extraterrestre diplomate, devenu saltimbanque, se surprennent à être émus. Ils ont devant eux, une jeune fille libellule fragile, qui s'est imposée une vie austère, uniquement parce que c'est ce que les adultes attendaient d'elle.

Marie Mandibule n'est donc pas une véritable Sérieuse. Je reconnais avoir souhaité la voir changer au cours de cette histoire, mais je ne pensais pas que ça lui ferait autant de peine.

— Le Sopholite, dit-elle alors en sautant du coq à l'âne, ces coquins sont à la recherche du Sopholite d'Alba !

— Le quoi ?

— Le Sopholite d'Alba. C'est un livre séculaire dans lequel sont inscrits tous les secrets de l'univers.

— Et tu crois que c'est ce que l'impératrice ressersse ? demande Basile

— Ma foi, j'en suis presque sûre, répond Marie, avez-vous idée du pouvoir qu'aurait quelqu'un qui saurait tout ?

— Tu ne penses pas que l'impératrice est suffisamment puissante ? fait remarquer Anatole.

— Il n'y a aucun pouvoir plus grand que celui du savoir, dit Basile avec sagesse.

— Il faut que je mette la main sur ce livre, dit Marie en se levant, déterminée.

Elle fait quelques pas en direction de la rampe d'accès à la mine, mais Basile la rattrape aussitôt.

— Ne fais pas l'idiote, Marie, dit-il. Où crois-tu aller ainsi ? Il y a des miliciens blancs partout. Allez, viens plutôt éponzer avec nous.

Ce Basile, quel boute-en-train ! Toujours le premier à proposer une activité amusante.

Marie passe donc la soirée à essuyer de l'eau glacée avec les autres inaptes, mais l'idée de trouver le fameux Sopholite d'Alba ne quitte cependant pas son esprit. Peut-être y voit-elle une revanche sur ceux qui l'ont incitée à devenir Sérieuse ? Peut-être est-ce une façon pour elle de se racheter face à Ludo ? Toujours est-il que désormais Marie ne voit plus d'intérêt à demeurer raisonnable.

Tout en travaillant, elle replonge dans son passé, dans les souvenirs de son enfance. Peu à peu, elle se rappelle le plaisir de s'amuser en toute liberté et de faire des choses loufoques, juste parce qu'on en a envie. Tout cela est de bonne augure pour la suite, car si nos amis veulent s'échapper de cette mine, il va leur falloir prendre quelques risques et sortir des sentiers battus...

Après cette longue et pénible séance d'épongeage, quel mot affreux ! Marie et Anatole regagnent leur cabane faite de bric et de broc. En chemin, la jeune femme libellule aperçoit sur le sol gelé un morceau de fil de fer enroulé sur lui-même. Elle décide de le ramasser.

— Que comptes-tu faire de ça ? lui demande Anatole.

— Eh bien, mon bon ami, je viens de décider que j'allais commencer une collection d'objets débiles qui-ne-servent-à-rien, de préférence en métal ! En voici la première pièce.

— Mais voyons, Marie, tout cela est-il bien sérieux ?

— Je suis une inapte, Anatole, les Sérieux demeurent dans l'autre village, répond-t-elle avec un sourire en coin.

Anatole regarde son amie, un peu éberlué. Marie, quant à elle, semble avoir le cœur plus léger. Elle rentre à la cabane faite de bric et de broc, son fil de fer qui-ne-sert-à-rien à la main.

La jeune femme libellule ne se force plus à être austère désormais et cela va lui permettre de mijoter des plans plus originaux...

Justement, les idées fusent dans sa tête. Contrairement à son ancienne habitude, elle ne pèse plus le pour et le contre et ne met plus de barrières en travers de son imagination.

Au moment où elle se couche, il en résulte un raisonnement pour le moins étonnant et un peu tordu, je dois le reconnaître. Le voici :

1) Si l'impératrice cherche le Sopholite, elle ne l'a pas encore trouvé. Sinon, pourquoi les mineurs continuent-ils à creuser ?

2) Si elle extrait le cristal pour une autre raison, mais que le Sopholite a été trouvé par hasard, il ne doit pas avoir été jeté. L'impératrice l'a sûrement conservé.

3) Si elle l'a laissé sur le site de la mine, il ne peut se trouver que dans le petit appartement de glace qui surplombe la voûte.

4) Si on veut atteindre cet appartement, il ne faut pas être vu par les miliciens blancs.

5) Et si on ne veut pas qu'ils nous repèrent, il faut une diversion.

6) Cela fait beaucoup de si, vous ne trouvez pas ?

Pour réussir son plan, Marie a donc besoin de quelque chose qui attirera suffisamment, l'attention des miliciens blancs pour qu'elle ait le temps d'agir...

Basile n'acceptera jamais. Son seul espoir est donc l'artiste de cirque, d'origine extraterrestre, qui ronfle à côté d'elle, sur le plancher de la petite cabane faite de bric et de broc.

Elle le réveille sans prendre de gants.

— Anatole, dit-elle en le secouant, debout ! J'ai grand besoin de toi.

— Non, maman, je ne veux pas éponger, dit-il, encore en train de rêver.

— Que le spectacle commence, Anatole Calcium ! murmure Marie à l'oreille de son ami.

L'extraterrestre fait un bond.

— Un spectacle ! Quel spectacle ? Je n'ai rien répété.

— Il va donc falloir improviser, dit-elle avec un sourire malicieux. Elle qui, avant ce soir, n'a jamais rien improvisé de sa vie.

— Ah, parce que tu es sérieuse ! Combien de temps me donnes-tu ?

— Une heure, est-ce suffisant ?

— Quoi ? Non ! Ce n'est pas assez.

— Fort bien, fort bien ! Cela explique sans doute pourquoi les fâcheux de ce cirque te faisaient faire ces numéros ridicules. À moins que tu n'aies…le trac ?

— Le trac ? Mais pas du tout ! Attends un peu et tu vas voir si j'ai le trac !

Anatole sort de la cabane et s'en va dans la grange. Pendant ce temps, Marie se prépare, elle aussi...

Une heure plus tard, alors que tout le monde est endormi sous la voûte gelée, une musique subtile se fait entendre. Lentement, elle tire les ouvriers de leur sommeil. Les inaptes sortent petit à petit de leurs cabanes. Les Sérieux, quant à eux, n'y prêtent aucune attention. Il ne serait vraiment pas raisonnable de sortir ce soir, alors qu'une dure journée de travail les attend demain.

Il n'empêche que c'est un air doux et envoûtant qui berce l'âme et apaise le cœur.

Évidemment, les miliciens blancs entendent, eux aussi, cette musique, mais n'ont pas l'air d'être sensibles à son charme. Ils cherchent l'endroit exact d'où elle peut provenir, ce qui est loin d'être facile puisque la mélodie résonne partout sous la voûte.

Tout à coup, de la lumière émane de derrière la grange des inaptes. Des ombres se dessinent sur la paroi de glace. Elles évoquent de gigantesques silhouettes qui semblent danser sur la douce mélodie. Un oiseau, une ballerine, une baleine se succèdent sur la voûte gelée. C'est de la pure poésie.

Les inaptes se sont regroupés devant la grange pour admirer le spectacle, qui est si envoûtant, que même les miliciens blancs tardent à intervenir. Pendant un court instant, le temps est suspendu par cette magie. Même les hommes les plus durs redeviennent des enfants, essayant de deviner ce que représentent les ombres.

Marie Mandibule en profite pour s'éclipser du secteur des inaptes. Elle file vers l'escalier qui mène à l'appartement de l'impératrice. Elle le grimpe quatre à quatre, sans vraiment remarquer que les marches sont faites du cristal de la mine.

La diversion a fonctionné. Avant de pénétrer dans l'appartement, Marie jette un coup d'œil au spectacle d'Anatole, mais les ombres et la musique cessent alors brusquement. Le saltimbanque se serait-il fait prendre ?

Quoi qu'il en soit, Marie ne peut plus reculer. Elle entre dans l'étrange cavité qui surplombe la voûte.

Il s'agit bel et bien d'une luxueuse suite, creusée et sculptée dans la glace. Il y a là une table, des fauteuils et un lit recouvert de plumes de canard des neiges. Au fond de la pièce, une fenêtre semble donner sur l'extérieur, mais elle est fermée par des rideaux de soie. C'est un endroit très confortable, comparé aux cabanes faites de bric et de broc. Marie se console en constatant qu'ici aussi la glace a commencé à fondre.

L'impératrice n'est plus là depuis un certain temps. Les plumes de canard ne sont pas affaissées et il ne reste aucun effet personnel. Elle est sans doute partie par le dernier train .

C'est à la fois une bonne et une mauvaise nouvelle pour Marie. Bonne, parce que si la souveraine avait été là, elle se serait trouvée nez à nez avec elle. Mauvaise, parce que si elle détient le Sopholite d'Alba, elle est sans doute partie avec lui.

Je vous avais bien dit qu'il y avait trop de si dans le plan de Marie...

Déçue, la jeune femme libellule décide de repartir. C'est alors que son attention est attirée par quelque chose de bien étrange et d'assez inattendu. Sur le sol de glace, à quelques pas devant elle, se trouve une petite araignée, celle-là même qu'elle a essayé d'empoisonner un peu plus tôt dans cette histoire.

— Que fais-tu donc en ces lieux si austères, charmante petite bête ? lui demande-t-elle.

La petite araignée, ne sachant pas que Marie a beaucoup changé dernièrement, décide de s'enfuir à nouveau. La jeune femme libellule se remet alors à ses trousses, mais pour une raison bien différente de la précédente.

— Attends un peu, petite araignée, dit-elle, j'ai des excuses à te formuler.

Inutile de vous faire remarquer, chers lecteurs, que courir après une petite araignée dans le but de s'en faire pardonner, alors que des miliciens blancs peuvent arriver d'un instant à l'autre, n'est pas un comportement que l'on peut qualifier de sérieux.

— De grâce, écoute-moi, ma chère, s'époumone Marie en tournant en rond dans le petit appartement de glace, je suis un insecte, comme toi, je l'avais seulement un peu oublié.

La petite araignée s'arrête alors et semble disposée à écouter Marie.

— Je te demande pardon, lui dit-elle, je suis plus que navrée d'avoir voulu t'asperger de pchitt.

La petite araignée hoche la tête. Elle accepte les excuses.

— Je suis fort aise que notre affaire se termine ainsi, mais éclaire-moi : comment, diable, es-tu arrivée jusqu'ici ?

Comme vous le savez sans doute, les araignées ne parlent pas, elles communiquent en faisant des mimes. Le petit insecte commence alors, en geste, à expliquer à Marie ce qui lui est arrivé.

En fait, la pauvre bête s'est réveillée au moment où Marie, Anatole et les Sérieux descendaient du train. Évidemment, elle est si petite que personne ne l'a remarquée lorsqu'elle est sortie de la poche de la jeune fille, pour suivre l'impératrice et son escorte dans le grand escalier de cristal.

Cependant, si la souveraine et les miliciens blancs ont gravi les marches en quelques secondes, la petite araignée, elle, a mis un peu plus de temps... Eh oui ! Pour un petit insecte, un tel escalier est l'équivalent d'une énorme montagne pour nous ! Notre minuscule amie a donc consacré tout son temps à gravir patiemment les marches, l'une après l'autre.

Pendant que Marie et Anatole rencontraient Basile, découvraient la mine et vivaient toutes leurs aventures, la petite araignée, elle, montait lentement le grand escalier.

Pensez-y, chers lecteurs ! La prochaine fois que vous croiserez un petit insecte, en haut d'une côte ou d'un escalier, dites-vous qu'il a peut-être consacré sa vie entière à le monter...

La petite araignée n'est donc là que depuis quelques heures, mais elle a eu le temps de visiter les lieux. Il semble d'ailleurs qu'elle y a découvert quelque chose d'intéressant, puisque la voilà qui fait signe à Marie de la suivre.

Par terre, au pied de la table de glace, près de la fenêtre, se trouve une feuille de papier chiffonné. C'est une lettre dont voici le contenu :

Professeur George-Marcheur Babine
Savant Fou.
Cité de Verre.
À l'attention de Son Excellence
l'Impératrice du Pays des Cinq Vents
Mine Secrète
Au nord de toutes choses.

Votre Excellence,

En raison de la folie passagère de votre caméléon télépathe, je vous fais parvenir expressément cette lettre. J'ai fait d'incroyables découvertes sur les morceaux de cet étrange cristal que vous m'avez envoyés.

Comme vous l'aviez prévu, j'ai découvert qu'il avait la formidable particularité d'enregistrer les pensées et surtout les rêves de ces stupides poissons. Je me suis aussi rendu compte que le cristal émettait un signal très puissant, bien plus puissant que des ondes électronigautiques. C'est une découverte essentielle. Grâce à ce cristal, nous allons pouvoir créer une nouvelle génération de nigauvisions, qui nous permettra non seulement d'insérer des pensées dans la tête des gens, mais également de surveiller leurs opinions. Vous pourrez ainsi dominer davantage le Pays des Cinq Vents et vous faire élire souveraine à vie dans peu de temps.

Je vous demanderais donc, bien humblement, de faire accélérer la cadence de travail, car il va me falloir de plus en plus de cristal.

En ce qui concerne les inondations et la fonte des glaces, il n'y a aucune raison que ce soit lié à notre activité de forage. Cependant, je vous conseille de quitter les lieux et de laisser tous ces imbéciles se noyer.

Avec tout mon respect, votre carpette à genoux devant vous.

George-Marcheur Babine, savant fou.

Marie n'en croit pas ses yeux. Elle se doutait bien que ce cristal avait des pouvoirs. Le fait que les piles ne fonctionnaient pas en sa présence et que les caméléons devenaient fous, le fait que seules certaines personnes pouvaient le casser, tout cela lui avait mis la puce à l'oreille. Cependant, elle est stupéfaite de voir ce à quoi il doit servir. L'impératrice n'était donc pas à la recherche du savoir absolu, contenu dans le Sopholite d'Alba.

Mais voilà qu'il est temps de partir d'ici. Des miliciens blancs risquent d'arriver à tout moment. Marie reste cependant interloquée par la fin de la lettre. Certes, il y a bien quelques litres d'eau à éponger, mais de là à parler d'inondations…

La petite araignée lui fait alors signe d'aller jeter un coup d'œil par la fenêtre. La jeune fille libellule ouvre donc les rideaux de l'appartement.

De là où elle est, elle peut voir à l'extérieur de la mine, c'est une vision d'horreur !

Le sanctuaire des baleines volantes n'est plus au cœur d'un désert de glace, au nord de toutes choses. C'est devenu une île au milieu d'un océan de banquise fondue. Le désert gelé a cédé la place à une gigantesque mer. Des morceaux de glace et certains ossements de baleines venues jadis mourir ici dérivent à perte de vue.

La lettre disait vrai. Le sanctuaire sera bientôt inondé.

— Ma brave amie, dit Marie, il est temps de...

Mais la petite araignée n'est plus là ! Peut-être est-elle allée se cacher ? Peut-être est-elle déjà en train de fuir ce sanctuaire de malheur ? Quoi qu'il en soit, Marie n'a plus le temps de la chercher. Il lui faut redescendre vers le village des inaptes sans se faire remarquer

11

La jeune fille libellule se glisse lentement hors de l'appartement et descend avec prudence l'escalier de cristal. Cette fois-ci, elle doit être encore plus vigilante puisqu'il n'y a plus de diversion.

C'est alors qu'elle aperçoit en contrebas deux immenses projecteurs qui éclairent la paroi de la voûte, juste derrière la grange. De loin, elle constate que presque tous les miliciens blancs s'y trouvent, ainsi qu'un bon nombre d'inaptes.

— Ces infâmes s'affairent à juger Anatole, se dit-elle pleine de terreur, et ils veulent faire un exemple. Peut-être ont-ils déjà fait de lui un fou pour toujours ?

Marie se faufile rapidement jusque dans le secteur des cabanes faites de bric et de broc et s'approche de la scène comme si de rien n'était.

— Eh là ! fait une voix. Qu'est-ce que tu fais ici ? Va éponger avec les autres.

Un milicien blanc la pointe avec son foliphone.

— De grâce, monsieur, fait-elle. Ne me querellez point, je me suis seulement égarée.

— C'est ça, répond le soldat, et moi, je suis l'impératrice. Allez, dépêche-toi !

Marie s'exécute et n'a jamais été aussi contente d'aller éponger. Elle est d'autant plus rassurée que parmi les inaptes au travail, elle retrouve ses amis Basile et Anatole.

— Tu ne t'es point fait prendre, murmure-t-elle à l'extraterrestre.

— Non, mais j'ai eu de la chance. Juste avant qu'ils ne puissent me voir, je me suis caché de l'autre côté de la grange. Ils m'auraient trouvé, si leur attention n'avait pas été attirée par la gigantesque fuite que nous épongeons en ce moment. D'ailleurs, ils se demandent encore ce qui a bien pu se passer.

— Mais comment as-tu fait ça ? lui demande Basile.

— Oh, ça, c'est mon petit secret.

Eh bien, il semble que nous ne saurons jamais comment Anatole s'y est pris. Enfin, peut-être que oui...

Comme vous le savez, en tant qu'auteur de cette histoire, je suis bien informé. Alors si cela vous intéresse, voici comment l'extraterrestre a mis en place son spectacle de diversion. Pour ceux qui ne veulent pas le savoir, pour conserver la magie ou parce qu'ils s'en moquent, retrouvez-nous après ce paragraphe :

Anatole est d'abord allé dans la grange qui sert de remise aux inaptes. Il y a trouvé plusieurs tuyaux qui étaient en fait des essieux de tractochenille. En les sciant sur des longueurs différentes et en les assemblant, il a fabriqué quelque chose de semblable à une flûte de pan. Il a ensuite coincé son instrument dans un bidon d'essence, pour obtenir une caisse de résonance, et pour pouvoir garder les mains libres pendant qu'il en jouerait.

Il a méticuleusement placé un vieux projecteur derrière la grange, puis avec ses doigts agiles, il a exécuté ce qu'on appelle dans notre monde des ombres chinoises. Évidemment pour nous, cela peut paraître banal, mais au Pays des Cinq Vents, cet art n'existe pas, la Chine non plus, d'ailleurs. Voilà pourquoi les gens de la mine ont été si impressionnés par ces ombres *anatoliennes*...

Mais revenons à notre histoire.

Tandis que nos trois compères passent les derniers coups d'éponge avec les autres inaptes, Marie confie à ses amis qu'elle a découvert quelque chose de terrible.

Un peu plus tard, ils se retrouvent dans l'une des cabanes faites de bric et de broc et elle leur explique en détail le contenu de la lettre.

— Il faut absolument se sauver, dit Anatole.

— Cela fait des mois que ze suis dans cette mine, dit Basile. Il était dézà presque impossible de s'éssapper aupa-ravant, mais maintenant que nous sommes encerclés par les eaux, c'est d'autant plus irréalisable.

— Il nous faudrait l'aide de quelqu'un de l'extérieur, quelqu'un qui viendrait nous chercher, dit l'extraterrestre.

— C'est encore plus improbable, répond Basile décidément défaitiste. Il faudrait dézà réussir à le contacter, mais ce n'est pas tout. Il faudrait que cette personne soit assez folle pour croire à l'existence du sanctuaire et soit assez téméraire pour tenter de le trouver. Quelqu'un comme ça, ça n'existe pas !

— J'ai autrefois compté quelqu'un comme ça parmi mes amis, réplique fièrement Marie.

Elle pense évidemment à Ludo Scarlatine.

— Et comment fait-on pour entrer en contact avec lui ? On lui passe un coup de caméléon télépathe fou ? ajoute ironiquement Basile.

— Mes bon amis, sachez que j'ai un plan, répond Marie en faisant signe aux deux autres de s'approcher...

— Tu es complètement folle ! dit Basile une fois qu'elle a terminé. C'est totalement impossible. Ze veux bien croire qu'Anatole ne craint pas la douleur, mais quand même !

— Je crois que je peux le faire, répond fièrement l'extraterrestre. Je l'ai déjà fait au cirque.

— Tu sais ce qui nous attend si on se fait prendre, ajoute Basile.

— Si nous n'agissons point, notre destin ne sera que souffrance et noyade.

— Hum ! fait Basile, ce qui signifie qu'il ne trouve rien à rétorquer à cela.

— Alors donc, puis-je compter sur vous ? demande Marie.

— Moi j'en suis, dit Anatole qui n'est pas du tout rassuré, mais qui préfère tenter l'aventure, plutôt qu'opter pour l'inaction qui pourrait s'avérer tout aussi dangereuse.

— Très bien, acquiesce Basile. Disons que ton idée fonctionne. La première sose dont nous avons besoin, c'est de savoir exactement où nous sommes.

— Justement, dit Marie. Ce ne sera point un calcul aisé.

C'est alors qu'Anatole sort un papier et un crayon.

— Admettons, dit-il en commençant à dessiner, que Sérieuxville est ici, dans l'ouest et que Poireauville se trouve ici à l'est. La Cité de Verre serait donc ici…

À mesure qu'il tire les traits et place les points sur le papier, ses deux amis sont de plus en plus bouche bée. Il calcule les distances à main levée et il dessine avec la précision d'un véritable relevé géographique.

Anatole s'arrête un instant, voyant l'étonnement de ses compères.

— Je vous en ai déjà parlé, dit-il, je suis allé à l'Académie des relations entre les mondes. J'y ai passé quinze ans à apprendre par cœur toutes les cartes géographiques de tous les mondes connus. Je parle cent soixante et onze langues et je connais les coutumes de plus de mille pays. Ce n'est pas parce que je ne suis plus diplomate que j'ai tout oublié !

Marie et Basile le regardent avec des yeux écarquillés, et je dois avouer que moi aussi, mais Anatole poursuit comme si de rien n'était.

— On peut supposer, dit-il, que la voie ferrée principale va en ligne droite à la Cité de Verre. En tenant compte du temps que nous avons mis pour venir de Sérieuxville en train, nous devrions être...ici.

Et il trace un petit point, tout en haut de sa carte.

— Ce qui signifie, conclut-il, que Poireauville se trouve à cent soixante et onze lieues d'ici, dans la direction sud-est !

Si vous n'avez absolument rien compris à ce calcul, rassurez-vous, moi non plus, mais Anatole a l'air sûr de ce qu'il avance.

Par contre, pour ceux que ça inté-resse, j'ai calculé que cent soixante et onze lieues terrestres représentaient environ sept cent soixante kilomètres, mais j'ai pris une calculette.

Cent soixante et onze, vous l'avez peut-être remarqué, c'est aussi le nombre de langues que parle Anatole, mais je crois que ça n'a aucun rapport.

Enfin bref, laissons de côté les mathématiques. Je voudrais juste vous faire remarquer qu'en faisant ce petit point sur le papier, Anatole a réalisé quelque chose de capital pour moi et pour tous ceux qui aiment lire des histoires. C'est la première fois au Pays des Cinq Vents qu'un lieu magique et légendaire comme le sanctuaire est mentionné sur une véritable carte géographique. C'est un moment très émouvant pour moi, mais Basile, lui, a l'air préoccupé par autre chose.

— Il y a un autre problème, ajoute-t-il. (Décidément ! Il ne veut pas que ça fonctionne ou quoi ?) Nous ne sommes pas autorisés à aller dans le secteur où se trouve le canon.

— Subtiliser des uniformes ne devrait point constituer une embûche, répond Marie

— Ça marssera peut-être pour vous, dit Basile, mais en ce qui me concerne, les miliciens me connaissent trop bien.

— Alors donc, brave Basile, il te faudra me fournir quelques explications sur l'art de régler le canon, conclut Marie.

— Il faudrait que ze calcule l'angle de tir. Ce ne sera pas facile. Ze te l'expliquerai demain.

Et il s'en va avec la carte qu'a dessinée l'extraterrestre.

Voler les uniformes qui leur donneront accès au fameux secteur du canon, sera un jeu d'enfant pour Marie et Anatole, puisque la blanchisseuse fera semblant de ne pas les voir. La nuit sera longue cependant, car ils auront du mal à trouver le sommeil.

Le lendemain matin, nos deux amis montent à nouveau dans le tractochenille de Basile. Ils portent leur uniforme habituel, comportant la mention Village Inaptes / Bortuz.

— Nous portons les autres endessous, précise Marie en voyant le regard étonné du colosse.

— Voici les réglazes du canon, dit-il. Ze te préviens, il faudra que tu sois très précise, ça se calcule au millimètre près.

— Moi, il y a quelque chose qui me tracasse, dit Anatole, mais un milicien blanc passe à côté d'eux, ce qui met fin à la conversation.

La grande porte métallique s'ouvre et les mineurs avancent.

— Il vaut mieux le faire ce soir, murmure Basile, les gardes seront moins attentifs après avoir combattu les baleines pendant toute la zournée.

Les trois amis travaillent donc normalement. Ils transportent le cristal et conduisent le tractochenille comme si de rien n'était. Cependant, à mesure que les heures avancent, leur cœur bat de plus en plus fort, car le moment d'agir approche. Les regards échangés reflètent de plus en plus le stress qui les habite. Ils savent qu'ils n'auront pas le droit à l'erreur.

Vers la fin de l'après-midi, alors que le grand lampion commence à décroître, Basile fait signe à ses deux complices.

Tous trois montent dans le tracto-chenille et se dirigent vers la limite du secteur Bortuz, celui dont ils n'ont pas le droit de sortir...

Malheureusement, le canon qu'ils veulent utiliser se trouve à la frontière entre la partie de la mine dirigée par le gros monsieur Gordon et celle menée par le contremaître Barnabuk.

Marie et Anatole ont donc volé des combinaisons portant la mention *Barnabuk/ Gordon*, afin de pouvoir y circuler plus discrètement.

Une fois que Basile les aura déposés, ils devront traverser à pied le secteur Barnabuk, afin d'atteindre le canon. Il faudra être rapide et discret.

Marie et Anatole descendent donc du tractochenille vêtus de leurs nouvelles combinaisons et équipés de pioches. Ils espèrent ainsi passer inaperçus parmi les mineurs.

— Bonne sance, mes amis, leur dit brièvement Basile avant de repartir en vitesse.

Les deux amis marchent nerveusement à travers la mine. Comme ils l'avaient espéré, personne ne les remarque. Il faut dire qu'il y a tellement de mineurs qui se déplacent dans ce secteur, que les gardes blancs ne peuvent pas porter attention à tout le monde.

Marie et Anatole approchent du but.

— Il y a quelque chose qui me chicotte, dit l'extraterrestre.

— Plus tard, que diable ! répond Marie. Regarde ! Voici notre salut.

C'est un énorme canon qui n'a pas l'air d'être du tout dernier cri. Il est tordu et tout rouillé. Espérons qu'il fonctionne encore ! Deux miliciens blancs patrouillent les parages, mais ils sont occupés à surveiller les Sérieux et ils tournent le dos à nos amis.

C'est le moment ! Les deux inaptes foncent vers le canon.

— Marie, attends ! dit Anatole

— Qu'y a-t-il ? Tu ne veux plus le faire ?

— Non, non, ce n'est pas ça.

— Alors, quoi ?

— Basile a dit de respecter à la lettre l'angle de tir qu'il a calculé.

— Certes ! Eh bien ?

— Mais si la trajectoire croise l'un des barreaux de la grille ?

— Coquin de sort ! J'avais omis ce détail. Euh ! Fort bien ! Alors disons que si tu heurtes la grille, tu retomberas et nous improviserons !

Improviser ! Voilà bien une réponse qui n'est pas sérieuse ! Cependant, elle semble satisfaire Anatole, puisqu'il monte le long du canon et se glisse à l'intérieur. Marie se charge de régler l'angle de tir de l'engin. Elle tourne avec difficulté les manivelles, jusqu'à ce que le cadran indique les coordonnées calculées par Basile.

Boom ! Marie fait feu et Anatole est projeté dans les airs avec la puissance d'une fusée. Il comprime son corps, passe de justesse entre les barreaux de la grille et continue son long vol plané.

Bien sûr, vous l'avez deviné, il s'écrasera quelques minutes plus tard sur le petit placard de Ludo Scarlatine, vêtu d'une combinaison Barnabuk/Gordon, ce qui fera croire au jeune journaliste que c'est son nom...

Je ne sais pas si vous êtes comme moi, mais personnellement, je m'en doutais. Dès que j'ai vu Anatole arriver dans l'histoire, je me suis demandé si lui et Barnabuk n'étaient pas la même personne.

Le vol plané de cet homme-canon de fortune, lui offre une vue magnifique sur les Terres du Nord. Malheureusement, comme vous le savez, il aura tout oublié à son arrivée chez Ludo.

En revanche, je suis au regret de vous dire que le bruit du canon a alerté les miliciens blancs et que Marie vient de se faire prendre. Les gardes ont vite compris le stratagème et plusieurs d'entre eux sont aussitôt partis à la poursuite d'Anatole, mais ça, vous le saviez déjà...

FIN DE LA DEUXIÈME PARTIE

PARTIE ET DEMIE

LA MACHINE À LAVER

12

Quand nous avons laissé Ludo et Anatole, qui pour l'instant croit toujours qu'il s'appelle Barnabuk, mais plus pour longtemps, ils venaient d'entrer dans une machine à laver. Cette dernière avait la faculté magique de les envoyer n'importe où, à condition qu'ils y soient à leur place.

Après avoir tourné dans le tambour de l'engin pendant un long moment, les deux compères sentent le cycle ralentir, puis s'arrêter complètement.

De la lumière passe par le hublot de la machine. Ludo et Anatole en sortent doucement. Le grand lampion brille de tous ses feux, il n'y a aucune tempête à l'horizon et il fait presque chaud.

Les deux amis se rendent compte rapidement qu'ils ne sont pas sur la terre ferme. En regardant autour d'eux, ils constatent que leur machine à laver se trouve maintenant sur un morceau de banquise, au milieu d'une très vaste étendue d'eau.

Ludo n'en revient pas.

— Nom d'une marguerite philatéliste ! dit-il. Pourquoi sommes-nous arrivés ici ? Ce n'est la place de personne.

Anatole, lui, ne lâche pas du regard ce qui semble être une petite île au loin. Au-dessus de celle-ci, des centaines de baleines tournoient dans un vol lugubre.

C'est à ce moment précis, en revoyant cette danse désespérée, que l'extraterrestre retrouve la mémoire. Il se souvient que Barnabuk Gordon n'est pas son nom, mais plutôt celui du secteur dont il a été catapulté.

— Nous sommes ici pour que je puisse voir ça, dit-il. Je suis déjà venu au sanctuaire et il fallait que je le voie pour m'en souvenir. Je m'appelle Anatole Calcium et c'est Marie qui m'a envoyé te chercher.

— Sainte colchique dans les prés ! Marie ? Marie Mandibule ? demande Ludo estomaqué.

Anatole lui raconte alors tout ce qui lui est arrivé en compagnie de la jeune femme libellule. Il lui parle du train, de la mine, de ce cristal qui contient, il le comprend maintenant, les rêves des baleines. Il lui révèle aussi l'implication de l'impératrice et des miliciens blancs. Il lui explique que la glace fond autour du sanctuaire et qu'une inondation le menace à chaque instant.

C'est bien la dernière chose à laquelle Ludo aurait pu s'attendre. Il regarde les baleines et le sanctuaire au loin, mais ce n'est plus un rêve d'enfance qu'il contemple, c'est désormais la vie d'une amie qu'il doit sauver.

— La première chose à faire, dit-il, c'est de nous rendre là-bas.

Ce ne sera pas facile. Le sanctuaire est à environ huit cents mètres, peut-être un kilomètre, mais le principal problème n'est pas la distance. Jusqu'à preuve du contraire, on ne peut pas marcher sur l'eau. Elle est trop froide pour y nager et ils n'ont aucun bateau pour y naviguer.

— Par la rhubarbe du grand sorbier ! Comment allons-nous traverser ce lac ? se demande Ludo à haute voix.

— Nous pourrions repasser par la machine, suggère Anatole. Peut-être que cette fois-ci elle nous mènera au cœur du sanctuaire. Il est probable que nous n'avons été envoyés ici que pour que je retrouve la mémoire. Je ne vois pas d'autre raison

— C'est un peu risqué, répond Ludo. Nous sommes si proches. Ce serait dommage de nous retrouver ailleurs.

— Si la machine nous a amenés ici, c'est que notre destin passe bien par le sanctuaire. Il n'y a rien à craindre. De toute façon, nous n'avons pas le temps de trouver une autre solution.

— Très bien, dit Ludo, allons-y !

Ah ! Non !

— Qui a parlé ? demande Anatole effrayé.

C'est moi, l'auteur de l'histoire.

Oui, excusez-moi, cher lecteur ou lectrice, mais je dois régler un petit problème avec mes personnages. Si vous voulez bien nous excuser… Fermez ce livre quelques instants, le temps que nous tirions tout ça au clair. Merci.

C'est bon, il est parti, à moins que ce ne soit elle, je n'ai pas fait attention.

Revenons à nous, mes chers personnages. Ça ne m'arrange pas beaucoup que vous repreniez la machine à laver maintenant.

— Ah oui, et pourquoi ça ? Flasque gentiane ! demande Ludo.

C'est que j'avais prévu de vous la faire utiliser un peu plus tard dans l'histoire.

— Eh bien justement, une fois de plus ou de moins, je ne vois pas ce que ça change, dit Anatole.

Tout ! Ça change tout. Si vous l'utilisez trop souvent, les gens vont se dire : « Ah cet auteur, il n'a aucune imagination, chaque fois que ses personnages font face à une embûche, il leur fait utiliser la machine à laver ». D'autres vont dire : « C'est redondant, toujours la même recette ! »

— Eh bien, faites-nous faire autre chose, propose Anatole.

Justement, c'est ça le problème. Je n'ai pas d'idée !

— Alors, par le serpolet sans peur et sans reproche, c'est que vous méritez toutes ces critiques, dit Ludo. Tant pis pour vous, mais moi, je reprends la machine. Nom d'un pommier bègue !

Attendez, j'ai peut-être une idée. D'ordinaire ça ne se fait pas, mais...

Tiens chère lectrice ou lecteur, vous êtes revenu(e) ! Alors, où en étions-nous déjà ? Ah oui...

12

Quand nous avons laissé Ludo et Anatole — qui, par une extraordinaire coïncidence que je ne saurais expliquer, a enfin retrouvé la mémoire —, ils venaient d'entrer dans une machine à laver. Cette dernière avait la faculté magique de les emmener n'importe où, à condition qu'ils y soient à leur place.

Après avoir tourné dans le tambour de la machine, pendant un long moment, les deux compères sentent le cycle ralentir, puis s'arrêter complètement.

Une faible lumière passe par le hublot de la machine. Ludo et Anatole en sortent. La première chose qu'ils constatent, c'est qu'ils ont les pieds dans de l'eau glacée, mais qu'ils ne sont pas sur un morceau de banquise.

— Nous sommes dans la voûte, dit Anatole. Il faut se méfier des miliciens blancs.

Les deux amis avancent donc prudemment et découvrent peu à peu un lieu qui a bien changé, depuis le catapultage d'Anatole.

Le village des inaptes et ses cabanes faites de bric et de broc sont presque entièrement recouverts par les eaux. On ne voit que le toit de la fameuse grange. Du côté du village des Sérieux, qui est un peu plus en hauteur, on a de l'eau jusqu'à mi-mollet.

Il fait un froid glacial et un spectacle de désolation s'étale devant les yeux de Ludo et Anatole. Des morceaux de bois dérivent lentement sous cette voûte lugubre qui ressemble presque à une caverne sous-marine. Il y règne un silence qui n'est pas familier à Anatole. L'agitation des mineurs a laissé place à un terrifiant bruit d'eau ruisselante. Que s'est-il passé ici ? Nos deux héros arrivent-ils trop tard ?

C'est alors qu'un puits de lumière vient donner de lui-même une explication à Ludo et Anatole.

Une partie de la voûte s'est effondrée au-dessus du village des inaptes. L'eau s'y est engouffrée et a inondé la mine dans une vague glacée et dévastatrice.

Si le secteur des inaptes est totalement submergé, celui des Sérieux est bien amoché lui aussi. Il n'y a plus aucune cabane encore debout. Leurs débris qui flottent un peu partout témoignent de la puissance du cataclysme. Un tractochenille complètement retourné se dresse comme un totem de malheur.

En marchant à travers ce qu'il reste du camp minier, Ludo et Anatole sont pris d'une terrible mélancolie. Ils osent à peine penser à ce qui a pu arriver aux gens qui étaient là quand l'effondrement s'est produit.

Anatole remarque que l'appartement de l'impératrice est toujours intact, mais que l'escalier de cristal est rongé par le bas. Les quinze ou vingt premières marches ont été emportées.

Il ne semble toujours y avoir personne sous cette voûte éventrée, mais ni l'un ni l'autre de nos amis n'ose appeler de peur que tout ceci ne soit un piège.

C'est alors qu'au milieu des décombres, sur un tractochenille renversé, apparaît une silhouette familière à Anatole. Un colosse à la peau noire, le dos voûté, se tient la tête entre les mains.

— Basile, Basile ! crie Anatole entre joie de le revoir et peur d'apprendre ce qui s'est passé.

Le mineur lève lentement la tête. Ses yeux sont vides, vides d'avoir vu l'indescriptible. Il est comme un enfant qui a peur, mais esquisse un sourire naïf en voyant son ami.

— Anatole, murmure-t-il.

— Que s'est-il passé ? demande l'extraterrestre.

— Il y a eu de l'eau, des cris, puis le silence, dit le colosse sur un ton un peu enfantin.

— Où sont les autres ? demande Anatole qui se doute de la terrible réponse.

— Ils ne veulent plus zouer avec moi, répond Basile les yeux mouillés.

De toute évidence, le mineur a été drôlement traumatisé, ou fortement exposé au bruit-qui-rend-fou. C'est comme s'il était retombé en enfance.

Le cœur de Ludo chavire. Cet homme a vu la vague emporter ses amis sans pouvoir les aider. Il voudrait le réconforter, mais une angoissante question le ronge.

— Et Marie ? demande-t-il du bout des lèvres.

Basile lève les yeux vers l'appartement de glace.

— Ils l'ont enfermée là-haut, mais on ne peut plus y aller. Quand le toit est tombé, il y en a qui ont voulu grimper pour se sauver. Mais comme ils cassent le cristal dès qu'ils le toussent, l'escalier s'est brisé sous leurs pieds et ils sont tombés.

— Par la rhubarbe du grand sorbier ! Alors elle est peut-être encore là-haut ?

— Z'ai appelé, mais elle ne me répond pas. Ze crois qu'elle n'est plus ma copine.

— Nom d'un hibiscus alpiniste ! Il faut trouver un moyen de monter, dit Ludo en examinant la paroi de glace.

— Attention, si tu essaies de grimper, tu glisseras et tu te blesseras, dit Basile avec la voix d'un enfant.

Ludo s'en va vers la base de l'escalier pour essayer de trouver une façon de monter.

— Et les miliciens blancs ? demande Anatole à Basile.

— Ils sont partis par le train, avant que le toit ne tombe, répond le colosse. Il n'y a que moi et les trois messieurs là-bas, mais ils ne sont pas zentils. Ils disent que ze suis un bébé.

Basile montre du doigt trois Sérieux qui attendent devant la grande porte de métal, la pioche à l'épaule, prêts à aller travailler.

— Que font-ils ? demande Anatole.

— Ze ne sais pas, dit Basile. Ils n'arrêtent pas de dire que l'important, c'est de continuer la production.

— Anatole, par mes pétales, viens m'aider ! crie alors Ludo.

Le jeune garçon aux cheveux rouges se démène dans l'eau stagnante. Il va et vient, en ramassant un maximum de débris flottants. Il essaie de les empiler sous ce qui reste de l'escalier, mais les premières marches sont au moins à quatre mètres du sol.

— Tu veux monter sur le tas de bois, lui dit Basile. Il ne faut pas monter sur le tas de bois, tu sais.

Ludo regarde un instant ce monstre de muscles, devenu si fragile, mais ne trouve rien à répondre. Il continue à empiler les débris qu'il trouve.

— Tu ne connais pas l'histoire du petit veau désobéissant ? continue Basile. Sa maman lui avait dit de ne pas monter sur le tas de bois, mais il ne l'a pas écoutée et il est tombé.

Ludo essaie de se hisser sur le tas en question. Ce n'est pas une mince affaire, car le bois est mouillé et glissant. Plusieurs fois, il fait s'effondrer la construction, mais il recommence encore et encore, avec toujours plus de fougue. Il n'est pas question que toute cette aventure ne soit qu'un rendez-vous manqué.

Finalement, après être monté prudemment sur l'amoncellement de débris, Ludo atteint victorieusement la première marche de l'escalier. Il se retourne et regarde ses deux camarades.

— Tu lui diras qu'elle n'est pas zentille de s'être cassée là haut, dit Basile.

Ludo espère juste qu'il pourra lui parler.

Il monte l'escalier avec appréhension et pénètre dans la pièce obscure. Son cœur fait un bond dans sa poitrine en découvrant Marie ligotée à une chaise, bâillonnée, mais vivante ! Le regard de la jeune femme libellule se remplit de joie et d'un peu de surprise. Elle n'y croyait plus.

J'aurais aimé vous décrire une émouvante scène de retrouvailles entre ces deux amis d'enfance dont les routes se rejoignent enfin. J'y aurais sûrement mis de l'émotion et des larmes.

Malheureusement, à cet instant, un bruit indescriptible et particulièrement désagréable, bourdonne dans les oreilles de Ludo pendant quelques secondes…

En bas, les pieds dans l'eau froide, Anatole commence à se demander ce qui se passe.

— Ludo, tout va bien ? crie-t-il.

— Nom d'une salade en sachet ! répond le journaliste, je crois que je vais m'acheter une brosse à dents et lui apprendre à tricoter !

Surpris par cette drôle de réponse, Anatole décide de monter voir. Si vous voulez mon avis, je crois qu'il ferait mieux de se méfier, mais bon…

Basile ne l'accompagne pas, car il sait ce qui est arrivé au petit veau déso-béissant. De toute façon, le tas de bois n'aurait jamais tenu sous le poids du colosse. L'extraterrestre gravit donc l'amoncellement seul et monte à son tour l'escalier de cristal.

En voyant Marie ligotée et Ludo qui mâchouille sa cravate, Anatole comprend, mais trop tard, qu'il vient de tomber dans un piège.

— Tiens, comme on se retrouve, dit une voix qu'il connaît trop bien. C'est celle qu'il a reconnue à travers le caméléon télépathe, celle du milicien qui se plaisait tant à lui faire entendre le bruit-qui-rend-fou.

Vous en avez mis du temps, poursuit le soldat qui sort de la pénombre. Je pensais que vous arriveriez avant que tous ces imbéciles ne se noient. Qu'est-ce que ça vous fait d'avoir échoué si lamentablement ?

— Vous aussi, vous avez échoué, dit Anatole sans se laisser intimider.

— Mais non, pas du tout, ma mission était de vous mettre hors d'état de nuire et c'est ce que je vais faire. Je dois dire qu'au début, je vous avais sous-estimés, mais quand vous nous avez échappé à Nifelbald, j'ai compris que vous étiez assez déterminés pour réussir. Alors je suis revenu ici malgré les ordres.

Je me suis caché et j'ai attendu avec cette charmante demoiselle qui malheureusement n'a pas beaucoup de conversation. Elle ne répond même pas au gros nounours qui pleure en bas. Maintenant que vous êtes tous réunis, je vais vous faire entendre le bruit-qui-rend-fou suffisamment pour faire de vous de gentils petits sujets de l'impératrice, bien dociles et peu critiques !

— Vous êtes abject, dit Anatole.

— Oh, mais ça n'a rien de personnel, dit le soldat en ricanant. Je ne fais que servir ma souveraine. Imaginez la récompense qu'elle me donnera quand elle apprendra que je l'ai personnellement débarrassée des derniers témoins gênants.

— Et comment le saura-t-elle ? Tout le monde est parti. Le désert de glace continue à fondre et bientôt cet endroit sera submergé. Vous ne quitterez jamais cette mine.

Ludo reprend doucement ses esprits et il cesse de manger sa cravate. Son regard croise celui de Marie. Elle lui fait signe discrètement de lui détacher les pieds. Il tend les mains le plus lentement possible pour ne pas se faire remarquer. Anatole s'en rend compte et décide d'attirer l'attention du milicien.

— Écoutez, dit-il, peut-être que nous pourrions négocier. Nous avons un moyen de quitter ces lieux.

— Ma mission est de vous rendre fous l'un après l'autre et je vais l'accomplir en commençant par toi, l'étranger.

Il arme son foliphone, le pointe sur Anatole, mais remarque tout de suite, du coin de l'œil, que Ludo est en train de détacher les pieds de Marie.

— Hé là Scarlatine ! dit-il. Tu veux être le premier ? Pas de problème, après cette salve de bruit-qui-rend-fou, tu te prendras pour une chenille et tu seras un parasite pour les plantes !

Le garde blanc s'approche de Ludo. Il lui pointe son foliphone sous le nez, quand il sent tout à coup une très vive douleur, juste au-dessus de sa cheville.

Vous l'avez peut-être deviné, il vient de se faire piquer par la petite araignée !

Tout se passe alors très vite. Le milicien se cambre, il a le réflexe de se taper sur la jambe pour chasser l'insecte. Ludo tente de lui enlever son foliphone des mains, mais le soldat s'en rend compte et déclenche l'arme, sans avoir remarqué qu'elle était pointée vers lui...

Le bruit-qui-rend-fou pénètre dans les oreilles du garde, s'immisce dans sa très petite cervelle et fait de lui une pauvre chenille, rampant bêtement sur le sol de l'appartement de glace.

Ludo aide Marie à se défaire de son bâillon et de ses liens. Ils se regardent longuement sans savoir quoi se dire. Par où commencer ?

Marie se détourne un instant du regard de son ami pour aller remercier la petite araignée.

— Comment pourrais-je avoir assez de gratitude envers toi, ma brave petite bête, dit-elle en prenant l'insecte et en le posant sur son épaule.

— Nom d'un genévrier courtois ! Tu es redevenue la Marie d'autrefois, s'exclame Ludo .

— Quant à toi mon cher, tu es demeuré le même !

Les deux amis se retrouvent enfin et c'est comme si les années de discorde venaient de disparaître.

— Vite, dit Anatole qui brise un peu la magie. Partons avant que tout ne s'effondre.

L'extraterrestre a raison. Il faut faire vite

— Et lui ? demande Ludo en désignant le milicien blanc.

— Lui, il reste ici. C'est tout ce qu'il mérite, dit Anatole.

— Non ! s'oppose Marie. Nous ne sommes point des monstres de son espèce, alors n'agissons point comme lui.

Les garçons le soulèvent avec difficulté et le traînent avec eux. La jeune femme libellule, quant à elle, ramasse la corde avec laquelle elle était attachée et se l'enroule autour de la taille.

Elle descend le tas de bois la première, avec la petite araignée toujours bien agrippée à son épaule. Marie jette un regard impuissant à la mine dévastée.

Ludo et Anatole font glisser le milicien blanc le long de la paroi. Ils essaient de bien le tenir, mais son poids les déséquilibre. Ils laissent échapper le soldat, qui arrive tête première dans l'eau glacée.

L'ont-ils fait exprès ?... Peut-être. Évidemment, le milicien se tortille et gigote comme une pauvre chenille. Marie lui sort la tête de l'eau en jetant un regard noir à ses deux amis qui lui répondent par un petit sourire en coin.

Ludo descend avec prudence le tas de bois, puis c'est au tour d'Anatole. Malheureusement pour l'extraterrestre, l'histoire du petit veau désobéissant se révèle vraie, l'amoncellement de débris s'écroule. Le pauvre Anatole fait à son tour un roulé-boulé dans l'eau froide, mais il se relève, bien sûr, comme si de rien n'était.

— À la machine ! Dépêchons-nous ! dit-il. Marie, tu devrais aller chercher ces trois ahuris.

La jeune femme libellule délaisse un instant son milicien blanc-chenille et va récupérer les Sérieux qui attendent toujours devant la porte de métal.

Anatole et Ludo mettent d'abord le soldat dans la machine à laver. Le bougre se débat, comme le pauvre insecte qu'il croit être, mais rien n'y fait et il finit au fond du tambour.

— Bon débarras ! dit l'extraterrestre en appuyant sur le bouton.

Je ne sais pas où la machine enverra ce soldat et d'ailleurs je m'en fiche. Peut-être l'enverra-t-elle dans un parc ou une forêt dans laquelle il finira sa vie en mangeant des feuilles. Il aura peur des oiseaux et attendra en vain de devenir un papillon... Bref, espérons que le passage magique l'enverra dans un endroit où il ne fera plus de mal à personne.

C'est maintenant au tour de Basile toujours assis sur son tractochenille renversé.

— Viens, mon grand, lui dit Anatole, on va jouer à un jeu.

Le colosse adresse un regard pétillant à l'extraterrestre. Malgré sa stature, il semble plus fragile qu'un enfant.

Il s'approche et s'installe gentiment dans la machine.

— Tu ne comprendras certainement pas pourquoi je te dis ça, mais je te remercie, mon ami, lui chuchote Anatole.

— D'accord, copain, lui répond Basile sur le même ton.

L'extraterrestre referme le hublot et Ludo appuie sur le bouton. La machine enverra sans doute Basile auprès de sa mère ou de quelqu'un qui prendra soin de lui...

Marie arrive alors avec les trois Sérieux. Elle est toujours perplexe face à ce drôle de passage, mais elle fait confiance à ses amis. Les petits mineurs, eux, ne sont pas contents.

— Nous devons aller travailler, dit le premier.

— Il ne serait pas raisonnable de prendre une pause maintenant, dit le second, nous n'avons même pas commencé.

— Que faisons-nous d'eux à présent ? demande Marie.

— Nom d'un mimosa élégant ! Montez là-dedans, leur dit Ludo.

— Entrer dans une machine à laver, voilà qui est ridicule, dit le troisième Sérieux. Pour qui nous prenez-vous ?

Marie adresse un clin d'œil malicieux à son ami.

— Mes braves, sachez qu'il y a les derniers numéros du *Journal des finances*, au fond de cette machine, glisse-t-elle aux Sérieux.

Les trois mineurs se précipitent à leur tour dans le tambour. Ludo appuie une nouvelle fois sur le bouton et la machine les renvoie à Sérieuxville.

Auront-ils jamais conscience de ce qui s'est passé ? Comprendront-ils un jour qu'ils ont été des esclaves et qu'on leur a fait briser des rêves ?

C'est maintenant au tour de nos trois amis de quitter les lieux, enfin presque.

Marie prend d'abord sur son doigt la petite araignée — qui attendait patiemment son tour, sur l'épaule de la jeune fille — et la dépose dans le tambour de la machine à laver.

— Merci encore, ma bonne amie, lui dit-elle. Nous vous devons beaucoup.

Anatole et Ludo acquiescent de la tête. La petite araignée leur mime un signe d'adieu, tandis que l'extraterrestre ferme le hublot et la renvoie à sa place. Pour elle aussi, je crois que ce sera dans une forêt, un jardin ou du moins un endroit où personne ne songera à l'asperger de pchitt…

Il est vraiment temps pour nos amis de partir désormais. Marie se glisse dans la machine sans se demander si tout cela est bien sérieux. Il y a longtemps qu'elle sait que ça n'a pas d'importance.

Anatole lui emboîte le pas, suivi de Ludo qui prend une minute pour laisser le sanctuaire derrière lui.

Dans un soupir, il appuie sur le bouton et rentre rapidement dans la machine, qui commence déjà à tourner.

13

Quand la machine à laver s'arrête, Ludo et Anatole reconnaissent les lieux. Ils sont revenus dans la blanchisserie d'Adrienne Chalumeau.

Les trois amis franchissent le hublot et retrouvent la chaleur de cette grande pièce, bercée par le grand lampion. Adrienne est là, assise, une tasse de thé à la main.

— Je savais que vous réussiriez, mes deux carpaccios, dit-elle, mais qui est cette charmante personne ?

— Je me nomme Marie Mandibule.

— Ah ! Voilà pourquoi votre place était là-bas, dit la vieille femme aux deux garçons, ce à quoi Marie ne comprend rien, puisqu'elle ne connaît pas encore le fonctionnement des machines.

Adrienne veut tout savoir du sanctuaire et de ce qui s'y passe. Marie lui raconte donc son aventure. La vieille femme lui explique en échange ce qu'elle connaît des baleines et de leurs rêves.

— Parbleu, dit la jeune fille libellule, mais alors, le Sopholite d'Alba, c'est le cristal !

— Bien sûr, petite patate, lui répond Adrienne. Si on raconte qu'il contient tous les secrets de l'univers, c'est parce que les baleines rêvent depuis le début des temps.

— J'avais donc raison de penser que l'impératrice recherchait le fameux Sopholite. Ma seule erreur a été de continuer à croire qu'il s'agissait d'un livre.

— Oui, mais rien n'arrive sans raison, dit Adrienne. C'est à cause de ton ignorance, que tu as fini par tomber sur cette lettre et que tu as découvert cette histoire de savant fou.

— C'est ma foi vrai, reconnaît Marie.

— D'ailleurs, poursuit Adrienne, c'est très ennuyeux qu'une si grosse partie du Sopholite se soit retrouvée à la Cité de Verre.

— Nom d'une vipérine totalitaire ! Imaginez tout le pouvoir que l'impératrice va avoir avec cette nouvelle nigau-vision, dit Ludo.

— Oh, ce n'est pas ce qui m'inquiète, répond la vieille femme. Beaucoup ont déjà essayé de manipuler les rêves, et personne n'a jamais réussi. Je ne crois pas que ce saucisson de savant fou soit plus malin que les autres.

— Alors pourquoi dites-vous que c'est ennuyeux ? demande Anatole.

— Eh bien, ce qui s'est passé au sanctuaire est un avant-goût de ce qui se passera partout. Si les baleines ne retrouvent pas le rêve d'Alba, celui de l'équilibre, le désert de glace fondra complètement et le pays tout entier sera inondé. Le problème, c'est que le Sopholite ne rayonne pas sous la cloche de verre.

— Par mes pétales ! Si les baleines ne peuvent pas repérer leurs rêves, dit Ludo, alors elles ne les récupèreront jamais, nom d'un genêt à balais !

— Et ne feront plus jamais le songe d'Alba, conclut Marie qui a vite compris.

— Alors c'est fichu, dit Anatole. Vous imaginez la quantité de cristal que nous avons extraite. Même si nous trouvions un moyen de le sortir de la Cité de Verre, nous n'aurons jamais le temps de le faire avant que le désert ne fonde.

— Il faudrait, dit Adrienne, que les baleines puissent aller chercher leurs rêves elles-mêmes. Il leur suffit pour cela de toucher le Sopholite.

— Je ne vois qu'un petit problème, chrysanthème ! dit Ludo.

— La sinistre cloche de verre. Coquin de sort ! ajoute Marie.

C'est comme dans les beaux jours de leur enfance. Les deux amis pensent à l'unisson.

— C'est certain, dit Adrienne, et je crois que la seule chose qui pourrait détruire cette cloche, serait le retour du cinquième vent.

— Le cinquième vent n'est plus, dit Marie. Il est mort.

— Oui, mais nous avons ici quelqu'un qui pourrait le ramener à la vie, conclut Adrienne en regardant Ludo.

Il y a un moment de silence, puis tout le monde parle en même temps.

— Je dois toucher les choses pour les réanimer. Or, on ne peut pas toucher le vent, nom d'une avoine folle !

— Le temps que les baleines arrivent, il sera trop tard, dit Anatole.

— Certes, mais nous n'avons rien à perdre, dit Marie.

C'est encore une fois un argument qui à l'air de satisfaire les deux garçons. Ils se taisent et la laissent poursuivre.

— Il est certain, dit-elle, que la Cité de Verre est pleine d'infâmes miliciens blancs et que si nous nous faisons prendre, ils nous feront goûter du foliphone. D'un autre côté, si le désert de glace fond, il y aura un gigantesque raz-de-marée et dans cette éventualité, nos chances de survie ne sont guère plus élevées.

— Donc si je te comprends bien, dit Anatole, tu es en train de dire que nous n'avons pas beaucoup de chances de réussir…

— ... mais qu'en ne faisant rien, nous n'en avons point. Encore une fois, dit Marie.

Les trois amis se regardent. Ils ont l'air décidé.

— Par contre, dit Adrienne, je n'ai pas de machine pour aller à la Cité de Verre puisqu'elle n'est ni au nord, ni au sud, ni à l'ouest, ni à l'est. Pour y accéder, il vous faudra sauter dans la poubelle.

Le grand bac à ordures est donc un passage, lui aussi. Cela n'a pas l'air de déranger nos amis. Ils s'en approchent sans hésitation.

— Attendez un instant, ma bande de malpolis, dit Adrienne, vous pourriez au moins me dire au revoir.

— Mais bien sûr, fait Ludo. Au revoir, madame Chalumeau, et...

— Bon très bien. Dépêchez-vous donc, bande de courges oubliées sur le comptoir !

Ludo, Anatole et Marie entrent dans la poubelle, la tête la première.

Les deux amis d'enfance se retrouvent dans une ruelle étroite et sombre. Après être sortis de la poubelle et s'être époussetés un peu, ils constatent que l'extraterrestre n'est pas avec eux. Rien n'indique qu'il soit sur le point d'arriver.

— Fleur de coucou ! Peut-être que sa place n'était pas avec nous, dit Ludo avec tristesse. J'espère que nous le reverrons.

— Qu'est-ce diable que cette histoire « d'être à sa place » ? demande Marie. Madame Chalumeau en a parlé, elle aussi.

Ludo lui explique alors comment fonctionnent les passages d'Adrienne.

— Fort bien, dit Marie quand il a fini ses explications. Toi, tu es ici pour user de ton pouvoir, mais moi, quelle peut bien être mon utilité en ces lieux ?

— Par le brin de muguet, si tu es ici, c'est que tu as un rôle à jouer. Tôt ou tard, nous découvrirons lequel.

Ludo et Marie se dirigent vers la grande avenue qui croise la petite ruelle.

En levant les yeux au ciel, ils aperçoivent la cloche de verre teintée d'argent. Elle donne à la lumière du grand lampion un aspect fade, presque malade. C'est comme une de ces journées où l'on ne peut pas dire s'il fait beau ou mauvais.

La structure est gigantesque. Imaginez une bulle capable de recouvrir toute une ville. Elle s'élève très haut au-dessus des bâtiments. Ces derniers n'ont d'ailleurs rien à envier en hauteur à ceux de Poireauville, mais ils sont cependant d'une rectitude millimétrée.

L'air est sec. On a l'impression de ne rien respirer. C'est une sensation très désagréable.

— Où va-t-on trouver les vestiges du vent dans un endroit comme celui-là ? se demande Ludo.

Juste avant de sortir de la ruelle, Marie fait signe à Ludo de s'arrêter un instant. Ils jettent un coup d'œil à la grande avenue. La Cité de Verre étant la ville du pouvoir, on y trouve presque exclusivement des fonctionnaires gris et des miliciens blancs. D'ailleurs, les premiers sont tout aussi faciles à reconnaître que les seconds. Si les soldats de l'impératrice ont leur uniforme significatif, ses employés également. Les hommes portent des vestons gris sur chemises grises avec cravates grises. Pour les femmes, c'est le tailleur strict qui est de rigueur et je vous en laisse deviner la couleur.

Des centaines de fonctionnaires gris circulent sur la grande avenue. Ils marchent au pas cadencé, un peu comme des militaires.

— Nous ne pouvons point déambuler dans cette ville vêtus comme nous le sommes, dit Marie. Nous allons nous faire remarquer. Il va nous falloir d'autres vêtements, des gris de préférence. J'ai besoin d'un large manteau pour cacher mes ailes et toi, d'un chapeau pour tes cheveux.

— Eucalyptus nerveux ! C'est donc parce que tu connais bien les gens sérieux et monotones que tu es ici, dit Ludo un peu ironique.

— Ma foi, je serais fort surprise que ma tâche se limite à cela, lui répond Marie.

Elle sort de sa poche le morceau de fil de fer qu'elle avait ramassé à la mine, puis elle scrute les immeubles aux alentours.

— Suis-moi prestement ! dit-elle à son ami.

Non loin de là, se trouve une échelle qui permet de monter sur le toit de l'un des bâtiments. Marie commence à y grimper, suivie de Ludo qui se demande bien ce qu'elle compte faire de ce morceau de ferraille.

Arrivée au sommet de l'immeuble, Marie jette un coup d'œil en bas. Le flot de fonctionnaires gris ressemble aux déplacements d'un banc de poissons dans l'océan.

— Reine des prés fatiguée ! Pourquoi sommes-nous montés ici ? demande Ludo.

Marie lui adresse un regard malicieux, qu'elle n'avait plus lancé à personne depuis bien longtemps. Elle tord le fil de fer jusqu'à lui donner la forme d'un cintre. Elle déroule ensuite la corde qu'elle avait gardée autour de sa taille et y attache son objet plus-si-débile-que-cela, qui sert désormais à quelque chose. Elle jette enfin sa corde du haut de l'immeuble, comme un pêcheur jetterait sa ligne à l'eau.

— Et maintenant ? demande Ludo.

La réponse ne se fait pas attendre. Marie remonte rapidement un grand manteau gris.

— Crois-tu que c'est ma taille ? demande-t-elle à son ami, tandis qu'en bas dans la rue une pauvre fonctionnaire se demande encore ce qui vient de lui arriver...

Après avoir utilisé la même technique pour habiller Ludo, nos deux héros redescendent de l'immeuble et sortent de la ruelle, vêtus de gris, chapeau et manteau cachant leurs différences.

En déambulant sur l'avenue, ils essaient tant bien que mal de se fondre dans la foule en marchant, eux aussi, au pas cadencé.

À mesure qu'ils avancent dans la ville, ils sont de plus en plus stupéfaits. Un premier élément saute aux yeux. Il n'y a aucune couleur dans toute la Cité de Verre. C'est une ville rigide et terne, à côté de laquelle Sérieuxville est un parc d'attraction !

— À présent, il faut trouver ce qu'il reste du vent, dit Marie.

— Oui, mais où chercher ? Nom d'un mimosa enroué ! Il n'y a pas un brin d'air dans cette cité.

C'est ainsi que Ludo et Marie commencent à errer dans cette ville grise à la recherche d'un vent mort depuis longtemps.

Vous vous demandez sans doute, où la poubelle a bien pu envoyer le pauvre Anatole Calcium...

— Oh non, pas encore ! s'exclame-t-il.

Le passage magique d'Adrienne Chalumeau l'a en effet renvoyé au nord de toutes choses, dans le sanctuaire des baleines. Cette fois-ci cependant, il n'est pas dans la voûte des mineurs. Il est à la surface, là d'où les miliciens blancs abattaient les baleines. Derrière lui, se trouve le trou béant, recouvert d'une grille métallique, au fond duquel les Sérieux brisaient le Sopholite.

Tout autour de lui, le désert de glace a fondu. C'est un immense lac, presque une mer, et il est difficile de dire jusqu'où il s'étend. L'eau est à la limite du trou. Si le niveau monte encore, elle s'y engouffrera et inondera définitivement la mine. Au-dessus de lui, les baleines volent toujours dans la même danse désespérée.

Anatole tente de sortir de la poubelle. Il l'enjambe, mais perd l'équilibre. L'extraterrestre tombe tête première sur la glace, tandis que la poubelle magique glisse dans la direction opposée, tombe à l'eau et coule !

— C'est une catastrophe, se dit-il. Comment vais-je rentrer, maintenant ?

Anatole contemple l'étendue d'eau et les morceaux de banquise qui y dérivent. Pourquoi la poubelle a-t-elle pensé qu'il était à sa place en ce lieu si hostile ?

Il lève alors la tête et remarque quelque chose d'inquiétant. Trois orques épaulards sont sortis de la ronde des autres baleines et décrivent maintenant des cercles de plus en plus petits, en descendant vers lui. Il ne faut pas être un expert en stratégies animales pour comprendre qu'ils sont sur le point de l'attaquer.

Anatole se rappelle l'agressivité des baleines qui assaillaient la mine, avant de se faire harponner. Il frissonne et ce n'est pas de froid.

C'est alors que les trois baleines plongent en piqué.

— Haïk Haïk ! crie la première, ce qui signifie : « Toi, je ne vais pas te rater ! »

— Piyiou, Piyiou, que l'on peut traduire par « Ayez pitié », répond alors Anatole qui, comme vous le savez, parle la langue des cétacés ailés.

La scène qui suit se déroule entièrement en langue des baleines. Heureusement, ce livre est équipé d'un traducteur automatique. Vous pourrez donc la lire en français :

— Tu parles notre langue ? s'étonne la baleine.

— Je suis là pour vous aider, répond Anatole.

— Tu mens, je t'ai déjà vu ici. Tu es un des leurs.

— Non, je vous assure.

— Venir ici est une grave offense que tu paieras de ta vie.

Les trois orques foncent, toutes dents dehors, sur le pauvre Anatole qui se cache les yeux pour ne pas voir ce qui l'attend.

— Non. Attendez ! dit une autre baleine. Il était avec le garçon qui m'a sauvé, je le reconnais.

Anatole relève la tête, un quatrième orque s'est interposé. C'est le baleineau de Nifelbald.

— Qu'importe, dit la première baleine. Il était avec ceux qui ont pillé nos songes.

— Je peux vous aider à les retrouver, dit Anatole, je sais où ils se trouvent.

Pendant ce temps, à la Cité de Verre, Ludo et Marie cherchent toujours le vent. Ils guettent le moindre courant d'air, tout en tâchant de ne pas se faire remarquer.

— Tu sais, dit Marie, cette affaire m'a beaucoup fait réfléchir. Ciel, comme je regrette que nous nous soyons querellés !

— Oublie tout ça, répond Ludo. L'important, c'est d'être ensemble aujourd'hui. Nom d'un petit pissenlit ! Le passé n'est plus là et le futur n'est pas encore arrivé. Alors si on ne vit pas au présent, on ne fait que regarder le temps passer...

— Eh bien soit, monsieur le philosophe, répond Marie avec un brin d'humour. Justement, parlons-en de notre présent. Ne nous trouves-tu point ridicule d'errer ainsi dans la Cité de Verre en espérant que le hasard nous fera trouver le cinquième vent ?

— Tu as raison ! répond Ludo, mais que faut-il chercher ? Que reste-t-il d'un vent quand il est mort ?

— Je l'ignore, dit Marie. Quelle est la forme la plus primitive du vent, sa forme la plus simple ?

— Une petite brise, dit Ludo.

— Un courant d'air, ajoute Marie.

— Une respiration.

— Un soupir.

— Le battement d'ailes d'une libellule, conclut Ludo, les yeux pleins d'espoir.

Nos deux amis avaient donc la clé de l'énigme juste sous les yeux. L'origine du vent, sa forme la plus infime, n'est-elle pas le battement d'ailes d'un insecte ?

Ludo et Marie se rendent compte que les environs sont de plus en plus infestés de miliciens blancs. Peut-être approchent-ils d'un bâtiment officiel ? Quoi qu'il en soit, il vaut mieux se tenir à l'écart. Les deux amis se retirent donc dans une autre ruelle, encore plus sombre et plus austère que celle dans laquelle ils sont arrivés.

Ils échangent un regard nerveux. Rien ne dit qu'ils vont réussir. La jeune femme libellule retire son manteau gris et, telle une fée, elle agite doucement ses ailes.

Le petit souffle qui en résulte n'est encore qu'un embryon fragile. Ludo le laisse glisser entre ses mains avec délicatesse.

Avez-vous déjà caressé le vent ? C'est une des choses les plus agréables qui soient.

La boucle d'énergie lumineuse commence à jaillir doucement du creux des paumes de Ludo. La pâle lueur donne à la ruelle un aspect rassurant.

Lentement, subtilement, le jeune garçon redonne vie au cinquième vent. Au bout de quelques minutes, le léger battement d'ailes est déjà devenu un petit courant d'air.

— Mets-toi dans le coin de la ruelle, dit-il à Marie, et par l'estragon avare, accroche-toi à ce que tu peux.

Il est vrai que le courant d'air est rapidement devenu une légère brise qui soulève une couche de poussière qui n'avait plus bougé depuis l'avènement de la cloche de verre.

Le cercle d'énergie est de plus en plus lumineux, mais Ludo n'a aucun effort à fournir. Il est au centre d'un petit tourbillon et il demeure immobile. Ce vent qui voulait renaître lui apporte une indicible sensation de paix.

Marie, quant à elle, se cramponne à une gouttière.

Le vent souffle maintenant suffisamment pour créer un nuage de poussière. Dans cette ville où régnait le vide depuis aussi longtemps, cela ne passe pas inaperçu. Des fonctionnaires gris ont quitté le flot des passants pour venir voir ce qui se passe.

Les manteaux claquent et les chapeaux s'envolent, à commencer par celui de notre héros. C'est le début de la tempête. Les cheveux-pétales de Ludo ondulent dans ce vent vigoureux et puissant.

Les miliciens qui ont été alertés tentent de faire fonctionner leurs foliphones, mais le bruit-qui-rend-fou est couvert par celui du vent qui tourbillonne et qui englobe Ludo. La pauvre Marie s'accroche comme elle peut à la gouttière, en espérant tenir le coup.

La tempête est si puissante que les soldats ne peuvent même plus avancer dans la ruelle. Des morceaux de toits se décrochent et s'écrasent au sol, déclenchant la panique. Les fonctionnaires gris courent dans tous les sens.

C'est presque un ouragan qui prend sa source entre les mains de Ludo. Tout tourne autour de lui. Les pieds de Marie ne touchent plus le sol. Elle se balance dans le vent, en s'efforçant de ne pas lâcher la gouttière.

Il y a un instant de silence, puis d'un seul coup, un craquement sec. De petites fissures microscopiques se forment alors sur la surface de verre. En une fraction de seconde, la cloche éclate. Des milliards de petites particules sont alors projetées dans les airs, avant de retomber en une pluie fine.

La panique dans la cité est alors décuplée. Pour les fonctionnaires gris, c'est comme si le ciel leur tombait sur la tête. Même les miliciens blancs courent se mettre à l'abri.

Le vent est maintenant vivant et libre. Il s'en va où bon lui semble et la tempête cesse autour de nos amis.

Ludo et Marie s'avancent sereinement dans la rue, en guettant le ciel.

Vue de l'azur, l'explosion de la cloche a ressemblé à un bouchon de champagne que l'on fait sauter.

Dès l'instant où la protection de verre n'a plus été là, les baleines, guidées jusqu'à présent par Anatole, ont commencé à ressentir l'appel de leurs rêves.

Elles fondent en piqué sur la capitale, ce qui accentue encore plus la panique des fonctionnaires gris. C'est le chaos dans cette cité autrefois si austère. Le gigantesque et majestueux cortège se dirige vers un bâtiment en particulier, le laboratoire de George-Marcheur Babine, le savant fou.

Par une drôle de coïncidence, il s'avère que ce laboratoire se trouve justement dans le secteur où Ludo a réveillé le vent. Voilà pourquoi il y avait tant de gardes blancs dans les parages.

D'ailleurs en parlant de ces derniers, vous serez sans doute heureux d'apprendre qu'ils ont pris leurs jambes à leur cou et qu'on ne les reverra plus de sitôt. Ils faisaient les malins quand ils étaient armés de harpons, mais aujourd'hui c'est une autre histoire...

Le laboratoire de George-Marcheur Babine, où se trouve le Sopholite, est beaucoup moins haut que les autres immeubles de la cité. C'est un grand hangar, construit plutôt sur la longueur.

Une baleine à bosse, l'une des plus âgées et des plus grosses de l'escadrille, prend les devants. Elle fonce sur le bâtiment plein de cristal et le survole en rase-mottes. En raclant son front dessus, elle en arrache toute la toiture, un peu comme on ouvre une boîte de sardines. Des tonnes de gravats s'écroulent à l'extrémité du hangar dans un fracas assourdissant.

Le Sopholite est là, en petits morceaux. Vu du ciel, le laboratoire ainsi ouvert ressemble à une piscine pleine de cristal.

Tour à tour, les baleines descendent vers le Sopholite avec grâce et légèreté, rien à voir avec leur sœur à bosse. Chacune se frotte doucement contre le cristal, un peu comme un chat (ou une limace) qui veut qu'on le caresse.

Les rêves prisonniers de la matière retournent d'où ils viennent, c'est-à-dire dans la tête et le cœur des majestueux cétacés.

Bientôt, quand toutes les baleines seront passées, le cristal sera devenu inerte. Il ressemblera un peu à du plastique et ne reflétera plus aucune silhouette.

Les cétacés migrateurs referont le rêve d'Alba, le Sopholite se régénérera et l'équilibre du Pays des Cinq Vents sera rétabli.

Après avoir récupéré ses songes, le jeune orque de Nifelbald, qui transporte Anatole, dépose l'extraterrestre auprès de Marie et Ludo. Il salue une dernière fois son sauveur, puis il reprend la route du nord, avec les autres baleines. Les trois amis s'étreignent longuement.

— Bien ! Où allons-nous maintenant ? lierre grimpant ! demande Ludo.

Je ne saurais vous dire où nos amis s'en vont, mais je suis persuadé qu'ils continueront leur route ensemble.

En ce qui concerne le savant fou et l'impératrice, on ne les retrouvera pas. Néanmoins, il serait naïf de croire que le Pays des Cinq Vents en soit débarrassé pour autant.

Ludo va sûrement écrire un article sur toute cette aventure. Les gens vont en parler, s'indigner, puis ils recommenceront à ne penser qu'à eux-mêmes et oublieront tout ça. C'est à ce moment-là que l'impératrice reviendra pour menacer à nouveau leur monde et leur liberté. Cependant, je crains que tout ceci ne soit une autre histoire...

Ah oui ! Une question subsiste peut-être dans l'esprit de certains d'entre vous : Pourquoi les Sérieux étaient-ils les seuls à pouvoir briser le Sopholite ?

Parce que ce n'est pas par la force qu'on détruit les rêves, mais en se prenant trop au sérieux et en mettant de côté l'enfant qu'on a été.

TABLE DES MATIÈRES

Des livres pour toi
aux Éditions de la Paix

127, rue Lussier
Saint-Alphonse-de-Granby, Qc J0E 2A0
Téléphone et télécopieur 450 375-4765
info@editpaix.qc.ca   www.editpaix.qc.ca

Collection DÈS 9 ANS

Danielle Boulianne
   L'Oppression de Maléficia
   Babalou et la pyramide du pharaon

Jean Béland
   Le Triangle des bermudas - Prix Excellence
   Un des secrets du fort Chambly
   Adieu, Limonade !
Réjean Lavoie
   Des Légumes pour Frank Einstein
   Chauve-souris sur le Net
   Clonage-choc
Viateur Lefrançois
   Coureurs des bois à Clark City (tome I)
   Les Facteurs volants (tome II)
   Tohu-bohu dans la ville (tome III)
   Dans la fosse du serpent à deux têtes
        Sélection de Communication jeunesse
Jean-Pierre Guillet
   La puce co(s)mique et le rayon bleuge
Gaëtan Gladu
   Un Trésor inattendu
Gilles Côtes
   OGM et « chant » de maïs
   Le Violon dingue
   Sorcier aux trousses
   Libérez les fantômes
        Sélection de Communication jeunesse
Marie-Paule Villeneuve
   Qui a enlevé Polka ?
Jocelyne Ouellet
   Mon Ami, mon double
   Mat et le fantôme
   Julien César

Collection À CHEVAL !

Marie-France Desrochers
    La Carte maléfique
    Petite Brute et grand truand
    La Caverne de l'ours mal léché
    Le Plan V...

Collection Pratique et Société

Robert Thibaudeau
    Un Dragon nommé Parky
Jean-Paul Tessier
    Les Insolences d'un éditeur
Rollande Saint-Onge
    Du Soleil plein la tête
Hélène Desgranges
    Choisir la vie

Collection ADOS/ADULTES

Renée Amiot
    Nous serons tous des loups-garous
    HEDN
    L'Autre Face cachée de la Terre
    suite de ... *La Face cachée de la Terre*
    Une Seconde chance
Jean-Paul Tessier
    Les Insolences d'un éditeur
Kees Vanderheyden
    L'Enfant de l'ennemi
Gilles Ruel
    Le Fugueur
François Lambert
    Pensées mortelles

Achevé d'imprimer en avril 2007 chez Gauvin, Gatineau, Québec